Scrittori italiani e stranieri

Gabriel García Márquez

MEMORIA DELLE MIE PUTTANE TRISTI

Traduzione di Angelo Morino

MONDADORI

www.librimondadori.it

ISBN 88-04-54475-9

© 2004, Gabriel García Márquez
© 2005 Arnoldo Mondadori Editore S.p.A., Milano
Titolo dell'opera originale:
Memoria de mis putas tristes
I edizione gennaio 2005

Memoria delle mie puttane tristi

«Scherzi di cattivo gusto non bisogna farne; non sta bene neppure infilare le dita nella bocca delle ragazze che dormono» raccomandò la donna della locanda al vecchio Eguchi.

YASUNARI KAWABATA,
La casa delle belle addormentate

1

L'anno dei miei novant'anni decisi di regalarmi una notte d'amore folle con un'adolescente vergine. Mi ricordai di Rosa Cabarcas, la proprietaria di una casa clandestina che era solita avvertire i suoi buoni clienti quando aveva una novità disponibile. Non avevo mai ceduto a questa né ad altre delle sue molte tentazioni oscene, ma lei non credeva nella purezza dei miei principi. Anche la morale è una questione di tempo, diceva, con un sorriso maligno, te ne accorgerai. Era un po' più giovane di me, e non avevo sue notizie da così tanti anni che poteva benissimo essere morta. Ma al primo squillo riconobbi la voce al telefono, e le sparai senza preamboli:

«Oggi sì.»

Lei sospirò: Ah, mio triste professore, scompari per vent'anni e torni solo per chiedere l'impossibile. Subito dopo riacquistò il dominio della sua arte e mi offrì una mezza dozzina di scelte allettanti, ma, questo sì, tutte usate. Insistetti che no, che doveva essere pulzella e per quella stessa notte. Lei domandò allarmata: Cos'è che vuoi provare a te stesso? Niente, le risposi, ferito nel punto che più mi doleva, so benissimo quello che posso e quello che non posso fare. Lei disse impassibile che i grandi professori sanno tutto, ma non tutto: gli unici Vergini che ormai rimangono nel mondo siete voi nati in agosto. Perché non mi hai dato l'incarico con maggiore anticipo? L'ispirazione non dà preavvisi, le dissi. Ma forse aspetta, disse lei, sempre più scaltra di qualsiasi uomo, e mi chiese un minimo di due giorni per vagliare bene il mercato. Io le replicai serio che in un affare come quello, alla mia età, ogni ora è un anno. Allora non si può, disse lei senza un'ombra di dubbio, ma non importa, così è più emozionante, cazzo, ti chiamo fra un'ora.

Non ho bisogno di dirlo, perché lo si nota a leghe di distanza: sono brutto, timido e anacronistico. Ma a forza di non volerlo essere sono riuscito a fingere tutto il contrario. Fino a questo giorno presente, in cui decido di raccontarmi come sono per mia stessa e libera volontà, anche solo per sgravarmi la coscienza. Ho cominciato con la telefonata insolita a Rosa Cabarcas, perché, considerato in prospettiva, quello fu il principio di una nuova vita a un'età in cui la maggior parte dei mortali è morta.

Abito in una casa coloniale sul marciapiede esposto al sole del parco di San Nicolás, dove ho passato tutti i giorni della mia vita senza moglie né fortuna, dove hanno vissuto e sono morti i miei genitori, e dove mi sono proposto di morire solo, nello stesso letto in cui sono nato e in un giorno che mi auguro lontano e senza dolore. Mio padre la comprò a un'asta pubblica verso la fine del XIX secolo, affittò il pianterreno per negozi di lusso a un consorzio di italiani, e si riservò questo secondo piano per vivere felice con la figlia di uno di loro, Florina de

Dios Cargamantos, interprete ragguardevole di Mozart, poliglotta e garibaldina, e la donna più bella e di maggior talento che ci fu mai in città: mia madre.

Gli interni sono ampi e luminosi, con archi di stucco e pavimenti a scacchiera di piastrelle fiorentine, e quattro porte a vetri su un balcone coperto dove mia madre si sedeva nelle sere di marzo a cantare arie d'amore con le sue cugine italiane. Di lì si vede il parco di San Nicolás con la cattedrale e la statua di Cristoforo Colombo, e più in là i magazzini del porto fluviale e il vasto orizzonte del Rio Grande della Magdalena a venti leghe dal suo estuario. L'unica cosa brutta della casa è che il sole passa da una finestra all'altra nell'arco della giornata, e bisogna chiuderle tutte per cercare di fare la siesta nella penombra ardente. Quando rimasi solo, a trentadue anni, mi trasferii in quella che era stata l'alcova dei miei genitori, aprii una porta di comunicazione con la biblioteca e, per vivere, iniziai a vendere all'asta tutto quello che mi avanzava e che finì per essere quasi tutto, tranne i libri e la pianola a pedali.

Per quarant'anni sono stato il rimpolpatore di dispacci del "Diario de la Paz", che consisteva nel ricostruire e completare in prosa indigena le notizie dal mondo che acchiappavamo al volo nello spazio siderale attraverso le onde corte o l'alfabeto Morse. Oggi mi mantengo bene o male con la mia pensione di quel mestiere estinto; mi mantengo di meno con quella di professore di grammatica spagnola e latino, quasi niente con l'articoletto domenicale che ho scritto senza strepiti per oltre mezzo secolo, e niente di niente con i pezzi di cronaca musicale e teatrale che mi fanno il favore di pubblicare quando arrivano interpreti di rilievo. Non ho mai fatto nulla di diverso dallo scrivere, ma non ho la vocazione né le virtù del narratore, ignoro del tutto le leggi della composizione drammatica, e se mi sono imbarcato in questa impresa è perché confido nei lumi di tutto quanto ho letto durante la mia vita. In parole nude e crude, sono un individuo senza merito né spicco, che non avrebbe nulla da lasciare ai suoi sopravvissuti se non fosse per gli eventi che mi accingo a riferire come posso in queste memorie del mio grande amore.

Il giorno dei miei novant'anni si era levato, come sempre, alle cinque del mattino. Il mio unico impegno, essendo venerdì, era scrivere l'articoletto firmato che esce la domenica sul "Diario de la Paz". I sintomi dell'alba erano stati perfetti per non essere felice: mi facevano male le ossa già di buon'ora, mi bruciava il culo, e c'erano tuoni di temporale dopo tre mesi di siccità. Mi lavai mentre saliva il caffè, ne bevvi un tazzone addolcito con miele di api e accompagnato da due pagnottelle di cassava, e mi infilai la tuta per stare in casa.

L'argomento dell'articolo di quel giorno, guarda un po', erano i miei novant'anni. Non ho mai pensato all'età come a una perdita nel soffitto che indica la quantità di vita rimanente. Da molto piccolo avevo sentito dire che quando una persona muore i pidocchi annidati fra i capelli scappano via impauriti sui guanciali con gran vergogna della famiglia. La qual cosa mi impressionò tanto, che mi lasciai rapare a zero per andare a scuola, e i pochi cernecchi che mi rimangono me li lavo ancora col sapone medicinale. Significa, mi dico adesso, che da molto piccolo mi sono formato meglio il senso del pudore sociale che quello della morte.

Da mesi avevo programmato che il mio articolo di compleanno non fosse il solito piagnisteo sugli anni trascorsi, ma tutto il contrario: una glorificazione della vecchiaia. Cominciai a domandarmi quando avevo preso coscienza di essere vecchio e credo che sia stato pochissimo tempo prima di quel giorno. A quarantadue anni mi ero recato dal medico con un dolore alla schiena che mi disturbava nel respirare. Lui non vi attribuì importanza: è un dolore naturale alla sua età, mi disse.

«In questo caso» gli dissi io, «è la mia età a non essere naturale.»

Il medico mi fece un sorriso dispiaciuto. Vedo che lei è un filosofo, mi disse. Fu la prima volta che pensai alla mia età in termini di vecchiaia, ma non ci misi molto a dimenticarmene. Presi l'abitudine a svegliarmi ogni giorno con un dolore diverso che cambiava posto e forma a mano a mano che passavano gli anni. A volte sembrava fosse un'artigliata della morte e il giorno dopo svaniva. In quel periodo sentii dire che il primo sintomo della vecchiaia è che si comincia ad assomigliare al proprio padre. Devo essere condannato alla gioventù eterna, pensai allora, perché il mio profilo equino non assomiglierà mai a quello caraibico verace che è stato di mio padre, né a quello romano imperiale di mia madre. Il fatto è che i primi cambiamenti sono così tardi che si notano appena, e si continua a vedersi dentro come si era sempre stati, ma gli altri se ne accorgono da fuori.

Nel quinto decennio avevo cominciato a immaginarmi cos'è la vecchiaia quando notai le prime lacune della memoria. Percorrevo la casa cercando gli occhiali fin quando non scoprivo che li avevo sul naso, o li avevo infilati quando mi mettevo sotto la doccia, o inforcavo quelli per leggere senza togliermi quelli per vedere da lontano. Un giorno feci colazione due volte perché mi dimenticai la prima, e imparai a riconoscere il nervosismo dei miei amici quando non osavano avvertirmi che stavo raccontando la stessa cosa che avevo raccontato la settimana prima. A quell'epoca avevo nella memoria una lista di facce note e un'altra con i nomi di ognuna, ma al momento di salutare non riuscivo a far sì che le facce coincidessero con i nomi.

La mia età sessuale non mi ha mai preoccupato, perché i miei poteri dipendevano più dalle donne che da me, e loro sanno il come e il perché quando vogliono. Oggi rido dei ragazzi di ottant'anni che consultano il medico spaventati da questi crucci, senza sapere che a novanta sono peggiori, ma non importano più: sono rischi dell'essere vivi. Invece, è un trionfo della vita che la memoria dei vecchi si esaurisca per le cose che non sono essenziali, ma che di rado venga meno per quelle che ci interessano davvero. Cicerone l'ha illustrato con una frase: *Non c'è vecchio che dimentichi dove ha nascosto il suo tesoro.*

Con queste riflessioni, e altre varie, avevo finito una prima stesura dell'articolo quando il sole di agosto esplose fra i mandorli del parco e il battello fluviale della posta, in ritardo di una settimana per la siccità, entrò bramendo nel canale del porto. Pensai: ecco che arrivano i miei novant'anni. Non saprò mai perché, né lo pretendo, ma fu nel segno di quell'evocazione raggelante che decisi di telefonare a Rosa Cabarcas affinché mi aiutasse a festeggiare il mio compleanno con una notte libertina. Da anni vivevo in santa pace col mio corpo, dedito alla rilettura erratica dei miei classici e ai miei programmi personali di musica classica, ma il desiderio di quel giorno fu così incalzante che mi sembrò un dono di Dio. Dopo la telefonata non mi fu possibile continuare a scrivere. Appesi l'amaca in un angolo della biblioteca dove al mattino non batte il sole, e mi distesi col petto oppresso dall'ansia dell'attesa.

Ero stato un bambino coccolato con una mamma dai pregi molteplici, annientata dalla tisi a cinquant'anni, e con un papà pedante che non era mai stato colto in errore, e fu trovato morto nel suo letto di vedovo il giorno in cui venne sottoscritto il trattato di Neerlandia, che mise termine alla Guerra dei Mille Giorni e alle tante guerre civili del secolo precedente. La pace cambiò la città in un senso che non si era previsto né si voleva. Una ressa di donne libere fece arricchire le vecchie bettole della Calle Ancha, che fu poi il Camellón Abello e adesso è il Paseo Colón, in questa città della mia anima tanto apprezzata da locali ed estranei per la buona indole della sua gente e la purezza della sua luce.

Non sono mai andato a letto con una donna senza pagarla, e le poche che non erano del mestiere le convinsi con la ragione o con la forza a prendere il denaro sia pure per buttarlo nella spazzatura. Verso i vent'anni cominciai a tenere un registro col nome, l'età, il luogo, e un breve resoconto delle circostanze e dello stile. Fino ai cinquant'anni erano cinquecentoquattordici le donne con cui ero stato almeno una volta. Interruppi la lista quando ormai il corpo non ce la fece più così spesso e potevo tenere il conto senza annotare. Avevo la mia etica. Non ho mai partecipato a gazzarre di gruppo né ad accoppiamenti in pubblico, né ho mai spartito segreti né raccontato un'avventura del corpo o dell'anima, perché fin da giovane mi sono reso conto che nessuna rimane impune.

L'unico rapporto strano fu quello che intrattenni per anni con la fedele Damiana. Era quasi una bambina, mezza india, forte e selvatica, dalle parole brevi e perentorie, che girava scalza per non disturbarmi mentre scrivevo. Ricordo che io stavo leggendo *La lozana andalusa* sull'amaca nella veranda, e la vidi per caso china sul lavatoio con la sottana così corta che lasciava allo scoperto l'inizio delle sue cosce succulente. In preda a una febbre irresistibile gliel'alzai da dietro, le abbassai le mutande fino alle ginocchia e la montai al contrario. Ah, signore, disse lei, con un gemito lugubre, quello è fatto non per entrare ma per uscire. Un tremito profondo le fece rabbrividire il corpo, ma si tenne salda. Umiliato per averla umiliata volli pagarle il doppio di quanto costavano le più care di allora, ma non accettò neppure un soldo, e dovetti aumentarle la paga calcolando una monta al mese, sempre mentre lavava la roba e sempre controsenso.

Una volta pensai che quei calcoli di letti sarebbero stati un buon supporto per una relazione delle miserie della mia vita traviata, e il titolo mi cascò dal cielo: *Memoria delle mie puttane tristi*. La mia vita pubblica, invece, era priva di interesse: orfano di padre e di madre, scapolo senza avvenire, giornalista mediocre quattro volte finalista ai Giochi Floreali di Cartagena de Indias e amatissimo dai caricaturisti per la mia bruttezza esemplare. Ossia, una vita sprecata che avevo iniziato male fin dal pomeriggio in cui a diciannove anni mia madre mi portò per mano a vedere se riuscivo a pubblicare sul "Diario de la Paz" un pezzo sulla vita scolastica che avevo scritto durante la lezione di spagnolo e retorica. Fu pubblicato la domenica con una premessa lusinghiera del direttore. Passati gli anni, quando venni a sapere che mia madre aveva pagato quella pubblicazione e le sette successive, era ormai tardi per vergognarmi, visto che la mia rubrica settimanale volava con ali proprie, ed ero pure rimpolpatore di messaggi e critico musicale.

Quando ebbi finito il liceo con ottimi voti, cominciai a dare lezioni di spagnolo e di latino in tre scuole pubbliche al contempo. Sono stato un cattivo insegnante, senza formazione, senza vocazione né pietà per quei poveri ragazzini che andavano a scuola come unico modo per sfuggire alla tirannia dei genitori. La sola cosa che riuscii a fare per loro fu tenerli sotto il terrore del mio righello di legno affinché imparassero almeno la mia poesia preferita: *Questi, Fabio, ahimé, che vedi adesso, campi solitari, mesto colle, furono un tempo l'Italia famosa.* Solo da vecchio venni a conoscenza per caso del brutto soprannome che gli allievi mi avevano affibbiato alle mie spalle: il *Professor Mesto Colle.*

Questo fu tutto quello che mi diede la vita e non ho fatto nulla per cavarne di più. Pranzavo da solo fra una lezione e l'altra, e alle sei del pomeriggio arrivavo alla redazione del giornale per dare la caccia ai segnali dello spazio siderale. Alle undici di sera, quando si chiudeva l'edizione, cominciava la mia vita autentica. Dormivo nel Quartiere Cinese due o tre volte alla settimana, e con così variate compagnie, che due volte fui proclamato cliente dell'anno. Dopo la cena nel vicino Caffè Roma sceglievo un bordello a caso ed entravo di nascosto dalla porta posteriore. Lo facevo perché mi piaceva, ma finì per diventare parte del mio lavoro grazie alla scioltezza di lingua dei pezzi grossi della politica, che confidavano i loro segreti di Stato alle amanti di una notte, senza pensare che venivano ascoltati dall'opinione pubblica attraverso i tramezzi di cartone. In quel modo, guarda un po', scoprii pure che il mio celibato inconsolabile lo attribuivano a una pederastia notturna che si soddisfaceva con i ragazzini orfani della Calle del Crimen. Ho avuto la fortuna di dimenticarlo, fra gli altri buoni motivi perché venni a conoscenza anche delle belle cose che si dicevano di me, apprezzandole per quello che valevano.

Non ho mai avuto grandi amici, e i pochi che vi andarono vicino sono a New York. Ossia, morti, perché è dove suppongo che vadano le anime in pena se non hanno digerito la verità della loro vita passata. Da quando sono in pensione ho poco da fare, a parte consegnare il mio foglio al giornale il venerdì pomeriggio, o altri impegni di una certa importanza: concerti alle Belle Arti, mostre di pittura al Centro Artistico, di cui sono socio fondatore; qualche conferenza civica alla Società per le Migliorie Pubbliche, o un evento grande come la stagione della Fábregas al teatro Apollo. Da giovane andavo nelle sale cinematografiche all'aperto, dove potevano sorprenderci sia un'eclisse di luna sia una polmonite doppia per via di un acquazzone ramingo. Ma più che i film mi interessavano le pollastrelle della notte che ci stavano al prezzo del biglietto, o la davano gratis o a credito. Perché il cinema non era il mio genere. Il culto osceno di Shirley Temple fu la goccia che fece traboccare il vaso.

I miei unici viaggi sono stati quattro ai Giochi Floreali di Cartagena de Indias, prima dei trent'anni, e una brutta notte in lancia a motore, invitato da Sacramento Montiel all'inaugurazione di un suo bordello a Santa Marta. Venendo alla mia vita domestica, sono di pasto sobrio e gusti facili. Quando Damiana diventò vecchia non si cucinò più in casa, e da allora il mio unico cibo preso regolarmente fu una frittata di patate al Caffè Roma dopo la chiusura del giornale.

Sicché il giorno prima dei miei novant'anni rimasi senza pranzo e non riuscii a concentrarmi nella lettura in attesa di notizie da Rosa Cabarcas. Le cicale frinivano all'impazzata nella calura delle due, e gli spostamenti del sole attraverso le finestre aperte mi costrinsero a cambiare tre volte il posto dell'amaca. Mi è sempre parso che nei giorni del mio compleanno ci fosse quello più caldo dell'anno, e avevo imparato a sopportarlo, ma l'umore di quel giorno non me lo rese possibile. Alle quattro cercai di rasserenarmi con le sei Suite per violoncello solo di Johann Sebastian Bach, nella versione definitiva di don Pablo Casals. Le considero quanto di più riuscito in tutta la musica, ma invece di rasserenarmi mi lasciarono nella peggiore prostrazione. Mi addormentai alla seconda, che mi sembra un po' stiracchiata, e nel sonno scambiai i lamenti del voloncello con quelli di un battello triste che era partito. Quasi subito mi svegliò il telefono, e la voce rugginosa di Rosa Cabarcas mi restituì alla vita. Hai una fortuna sfacciata, mi disse. Ho trovato una gallinella migliore di quella che volevi,

ma ha un inconveniente: è solo sui quattordici anni. Non mi importa cambiare i pannoli-
ni, le dissi scherzando senza capire i suoi
scrupoli. Non è per te, disse lei, ma chi paga
per me i tre anni di carcere?

Nessuno li avrebbe pagati, ma lei meno di
chiunque altro, naturalmente. Mieteva il suo
raccolto fra le minorenni che facevano mercato nella sua bottega, e che lei iniziava e
spremeva finché non passavano alla vita
peggiore di puttane patentate nel bordello
storico della Negra Eufemia. Non aveva mai
pagato una multa, perché il suo patio era
l'arcadia dell'autorità locale, dal governatore
fino all'ultimo portaborse del municipio, e
non era immaginabile che alla vecchia man-
casse potere per delinquere a suo piacimen-
to. Sicché i suoi scrupoli dell'ultimo momento miravano solo a trarre vantaggi dai suoi
favori: più cari quanto più punibili. La differenza venne sistemata con l'aumento di due
pesos nei servizi, e concordammo che alle
dieci di sera io sarei stato a casa sua con cinque pesos in contanti e in anticipo. Neppure
un minuto prima, perché la ragazza doveva

dar da mangiare ai suoi fratellini e metterli a dormire, e aiutare a coricarsi la madre devastata dai reumatismi.

Mancavano quattro ore. A mano a mano che passavano, il mio cuore si riempiva di una schiuma acida che mi disturbava nel respirare. Feci uno sforzo sterile per intrattenere il tempo con le fasi della vestizione. Proprio nulla di nuovo, se persino Damiana dice che mi vesto col rituale di un signor vescovo. Mi feci la barba col rasoio a mano, dovetti aspettare che si rinfrescasse l'acqua della doccia surriscaldata dal sole nei tubi, e il semplice sforzo di asciugarmi con la salvietta mi fece di nuovo sudare. Mi vestii in armonia con l'avventura della notte: l'abito di lino bianco, la camicia a righe blu dal colletto rigido di amido, la cravatta di seta cinese, gli scarpini ringiovaniti con bianco di zinco, e l'orologio d'oro coronario con la catena fissata all'occhiello. Alla fine piegai all'interno i risvolti dei pantaloni affinché non si notasse che sono rimpicciolito di un palmo.

Ho fama di taccagno perché nessuno riesce a immaginare che io sia così povero se abito dove abito, e la verità è che in una sera come quella mi muovevo molto al disopra dei miei mezzi. Dal baule dei risparmi nascosto sotto il letto presi due pesos per la camera, quattro per la vecchia, tre per la ragazza e cinque di scorta per la mia cena e altre piccole spese. Ossia, i quattordici pesos che il giornale mi paga per un mese di articoli della domenica. Li nascosi in una tasca segreta della cintola e mi profumai col vaporizzatore di Agua de Florida di Lanman & Kemp-Barclay & Co. Allora sentii l'artigliata del panico e al primo rintocco delle otto scesi a tentoni le scale buie, sudando di paura, e uscii nella notte radiosa della mia vigilia.

Era rinfrescato. Gruppi di uomini soli discutevano di calcio gridando sul Paseo Colón, fra i taxi fermi in attesa al centro della carreggiata. Una banda di ottoni suonava un valzer languido sotto le fronde di *matarratones* fioriti.[1] Una delle puttanelle a caccia di clienti squattrinati nella Calle de los No-

---

[1] Il *matarratón* è una pianta con fiori viola e foglie azzurrate. [*N.d.T.*]

tarios mi chiese la sigaretta di sempre, e io le risposi come sempre. Ho smesso di fumare trentatré anni, due mesi e diciassette giorni fa. Passando davanti a El Alambre de Oro mi guardai nelle vetrine illuminate e non mi vidi come mi sentivo, ma più vecchio e peggio vestito.

Poco prima delle dieci abbordai un taxi e chiesi all'autista di portarmi al Cimitero Universale perché non sapesse dove mi recavo davvero. Mi guardò divertito nello specchietto, e mi disse: Non mi faccia prendere certi spaventi, caro il mio professore, volesse Iddio che mi conservassi vivo come lei. Scendemmo insieme davanti al cimitero perché lui non aveva resto e fummo costretti a cambiare alla Tumba, una bettola indigente dove gli ubriaconi dell'alba piangono i loro morti. Quando i conti furono aggiustati l'autista mi disse serio: Stia attento, che la casa di Rosa Cabarcas non è più neppure l'ombra di quello che è stata. Il minimo che potei fare fu ringraziarlo, convinto come tutti che non c'erano segreti sotto il cielo per i taxisti del Paseo Colón.

Mi addentrai in un quartiere di poveri che non aveva nulla a che vedere con quello che avevo conosciuto ai miei tempi. Erano le stesse vie ampie dalle sabbie calde, le case con le porte aperte, le pareti di assi ancora da sgrezzare, i tetti di palma e i cortili di pietrisco. Ma i suoi abitanti avevano perso la serenità. Nella maggior parte delle case facevano le solite gazzarre del venerdì, il cui baccano riecheggiava nelle viscere. Chiunque poteva entrare per cinquanta centavos nella festa che più gli piaceva, ma poteva pure fermarsi a ballare gratis sulla soglia. Io camminavo ansioso che la terra mi inghiottisse dentro il mio vestito da damerino, ma nessuno badò a me, tranne un mulatto derelitto che dormicchiava seduto davanti all'entrata di un casermone.

«Salve, dottore» mi gridò con tutto il cuore, «buona sborrata!»

Cosa potevo fare se non ringraziarlo? Dovetti fermarmi tre volte per riprendere fiato prima di raggiungere l'ultima salita. Di lì vidi l'enorme luna di rame che si levava sull'orizzonte, e un'urgenza imprevista del ventre mi fece temere per il mio destino, ma passò in fretta. In fondo alla via, dove il quartiere si trasformava in un bosco di alberi da frutto, entrai nella bottega di Rosa Cabarcas.

Non sembrava la stessa. Era stata la ruffiana più discreta e proprio per questo la più nota. Una donna di stazza robusta che volevamo nominare sergente dei pompieri, sia per la corpulenza sia per l'efficacia nello spegnere i fuochi della sua clientela. Ma la solitudine le aveva rimpicciolito il corpo, le aveva incartapecorito la pelle e affilato la voce con tale abilità che sembrava una bambina vecchia. Di una volta le rimanevano solo i denti perfetti, con uno che si era fatta foderare d'oro per civetteria. Osservava un lutto stretto per il marito morto dopo cinquant'anni di vita in comune, e l'aveva accresciuto con una specie di cuffia nera per la morte del figlio unico che l'aiutava nei suoi traffici. Le rimanevano vivi solo gli occhi diafani e crudeli, e grazie a questi mi resi conto che non aveva cambiato indole.

La bottega aveva una lampadina fioca sul

soffitto e quasi nulla in vendita sugli scaffali, che servivano da schermo a segreti di Pulcinella che tutti conoscevano ma che nessuno riconosceva. Rosa Cabarcas stava congedando un cliente quando entrai in punta di piedi. Non so se davvero non mi avesse riconosciuto o se così avesse fatto finta per rispetto della forma. Mi sedetti sulla panca d'attesa mentre si liberava e cercai di ricostruirla nella memoria così com'era stata. Più di due volte, quando eravamo entrambi interi, lei mi aveva pure calmato i bollenti spiriti. Credo che mi lesse nel pensiero, perché si girò verso di me e mi scrutò con un'intensità allarmante. Per te il tempo non passa, sospirò con tristezza. Io volli lusingarla: Per te sì, ma sempre in meglio. Davvero, disse lei, ti ha persino rianimato un po' quella faccia da cavallo morto. Sarà perché ho cambiato mangiatoia, le dissi per punzecchiarla. Lei si ringalluzzì. Per quel che mi ricordo avevi un bastone da galeotto, mi disse. Come sta? Me la cavai per il rotto della cuffia: L'unica differenza da quando non ci vediamo è che a volte mi brucia il culo. La sua diagnosi fu immediata: Mancanza di uso. Ce l'ho solo perché Dio me l'ha fatto, le dissi, ma la verità è che mi bruciava da tempo, e sempre con la luna piena. Rosa frugò nella sua scatola da cucito e aprì un barattolino di pomata verde che sapeva di linimento d'arnica. Di' alla piccola che te la spalmi col suo ditino così, muovendo l'indice con un'eloquenza procace. Le risposi che grazie a Dio ero ancora capace di difendermi senza unguenti di indios. Lei mi prese in giro: Ah, maestro, perdonami la sfacciataggine. E affrontò la nostra faccenda.

La ragazza se ne stava in camera fin dalle dieci, mi disse; era bella, pulita e bene educata, ma morta di paura, perché un'amica sua che era scappata con uno stivatore di Gayra si era dissanguata in due ore. Però, ammise Rosa, è comprensibile perché quelli di Gayra hanno fama di far cantare le mule. E riprese il filo: Poverina, oltretutto deve lavorare l'intera giornata attaccando bottoni in una fabbrica. Non mi sembrò un lavoro così duro. È quello che credono gli uomini, rispose lei, ma è peggio che spaccare pietre. Inoltre mi confessò che aveva dato alla ragazza un beveraggio di bromuro con valeriana e adesso era addormentata. Temetti che la compassione fosse un'altra furbizia per far aumentare il prezzo, ma no, disse lei, la mia parola è d'oro. Con regole fisse: ogni cosa pagata a parte, e denaro sonante e anticipato. Così fu.

La seguii attraverso il patio, intenerito dall'inaridirsi della sua pelle, e da come camminava male con le gambe gonfie dentro le calze di puro cotone. La luna stava raggiungendo il centro del cielo e il mondo sembrava come sommerso da acque verdi. Vicino alla bottega c'era una tettoia per le gazzarre delle autorità pubbliche, con diversi sgabelli di cuoio e amache appese ai pali. Dietro il patio, dove cominciava il bosco di alberi da frutta, c'era una veranda con sei camere da letto di mattoni crudi non intonacati, le cui finestre erano protette dalle zanzare con rete metallica. L'unica occupata era in penombra, e Toña la Negra cantava alla radio una canzone di amori sventurati. Rosa Cabarcas tirò un sospiro: Il bolero è la vita. Io ero d'accordo, ma fino a oggi non mi sono azzardato a scriverlo. Lei spinse la porta, entrò un istante e di nuovo uscì. È sempre addormentata, disse. Faresti bene a lasciarla riposare tutto il tempo che le chiede il corpo, la tua notte è più lunga della sua. Io ero impacciato: Cosa credi che devo fare? Lo saprai tu, disse lei con una tranquillità fuori luogo, non per niente sei un professore. Mi girò la schiena e mi lasciò solo col terrore.

Non c'erano scappatoie. Entrai nella camera col cuore in trambusto, e vidi la ragazza addormentata, nuda e indifesa nell'enorme letto in affitto, come l'aveva partorita sua madre. Era distesa su un fianco, di faccia alla porta, rischiarata da una luce intensa che cadeva dal soffitto e non risparmiava un particolare. Mi sedetti a contemplarla dal bordo del letto con i cinque sensi ammaliati. Era bruna e tiepida. L'avevano sottoposta a un regime d'igiene e bellezza che non aveva trascurato neppure il vello incipiente del pube. Le avevano arricciato i capelli e aveva sulle unghie delle mani e dei piedi uno smalto trasparente, ma la pelle del colore della melassa appariva ruvida e malandata. I seni appena spuntati sembravano ancora quelli di un maschietto, ma erano già spinti da un'energia segreta sul punto di esplodere. Il meglio del suo corpo erano i piedi grandi da passi cauti con dita lunghe e sensibili come se fossero di mani. Era fradicia di un sudore fosforescente malgrado il ventilatore, e il caldo diventava insopportabile a mano a mano che avanzava la notte. Era impossibile immaginare com'era il viso pitturato a grosse pennellate, la spessa crosta di cipria con due toppe di belletto sulle guance, le ciglia posticce, le sopracciglia e le palpebre come annerite dal nerofumo, e le labbra ingrossate con una vernice di cioccolata. Ma né gli stracci né il trucco riuscivano a nascondere il suo carattere: il naso altero, le sopracciglia unite, le labbra intense. Pensai: Un tenero toro da lizza.

Alle undici andai a fare le mie consuete faccende in bagno, dove c'erano i suoi indumenti da povera piegati sopra una seggiola con una scrupolosità da ricca: un vestito di stamigna con farfalle stampate, un paio di mutandine gialle di madapolam e sandali di fibra d'agave. Sopra gli indumenti c'erano un braccialetto di paccottiglia e una catenina molto sottile con la medaglia della Madonna. Sul ripiano del lavandino, un borsellino con un rossetto, un astuccio per il trucco, una chiave e qualche moneta sparsa. Tutto così misero e sciupato dall'uso che non riuscii a immaginarmi nessuno povero come lei.

Mi svestii e sistemai gli indumenti il meglio possibile sull'attaccapanni per non sciupare la seta della camicia e la stiratura del lino. Orinai nel gabinetto con la catena, seduto come mi aveva insegnato fin da bambino Florina de Dios affinché non bagnassi i bordi della tazza, e ancora, modestia a parte, con un fiotto immediato e continuo da puledro brado. Prima di uscire mi affacciai allo specchio del lavandino. Il cavallo che mi guardò dall'altra parte non era morto bensì lugubre, e aveva una bazza da papa, le palpebre tumefatte e avvizziti i crini che erano stati la mia chioma da musicista.

«Merda» gli dissi, «cosa posso farci se non mi ami?»

Cercando di non svegliarla mi sedetti nudo

sul letto con lo sguardo ormai abituato agli inganni della luce rossa, e la ispezionai palmo a palmo. Feci scivolare la punta dell'indice lungo la sua cervice fradicia e lei tutta rabbrividì dentro come l'accordo di un'arpa, si girò verso di me con un grugnito e mi avvolse nell'atmosfera del suo fiato acido. Le strinsi il naso fra il pollice e l'indice, e lei si scrollò, scostò il capo e mi voltò la schiena senza svegliarsi. Cercai di aprirle le gambe col mio ginocchio in preda a una tentazione improvvisa. Ai primi due tentativi si oppose con le cosce tese. Le cantai all'orecchio: *Il letto di Delgadina da angeli è attorniato*. Si rilassò un poco. Una corrente calda mi salì per le vene, e il mio lento animale in pensione si svegliò dal suo lungo sonno.

Delgadina, anima mia, la supplicai ansioso. Delgadina. Lei cacciò un gemito lugubre, si sottrasse alle mie cosce, mi girò la schiena e si arrotolò come una chiocciola nel suo guscio. Il decotto di valeriana doveva essere stato efficace per me come per lei, visto che nulla accadde, né a lei né a nessuno. Ma non me ne importò. Mi domandai a cosa servisse svegliarla, umiliato e triste come mi sentivo, e freddo come un baccalà.

Nitidi, ineluttabili, risuonarono allora i rintocchi della mezzanotte, e ci si avviò verso l'alba del 29 agosto, giorno del Martirio di San Giovanni Battista. Qualcuno piangeva gridando in strada e nessuno gli dava retta. Pregai per lui, qualora ne avesse bisogno, e anche per me, in ringraziamento dei benefici ricevuti: *Nessuno si inganni, no, pensando che debba durare di più quel che attende di quanto non sia durato quel che vide*. La ragazza gemette nel sonno, e pregai pure per lei: *Poiché tutto deve passare in tal modo*. Poi spensi la radio e la luce per dormire.

Mi svegliai all'alba senza ricordare dov'ero. La ragazza continuava a dormire voltandomi la schiena in posizione fetale. Ebbi l'impressione indefinita di averla sentita alzarsi nel buio, e di avere udito lo sciacquone del bagno, ma avrebbe anche potuto essere un sogno. Fu una cosa nuova per me. Ignoravo le scaltrezze della seduzione, e avevo sempre scelto a casaccio le fidanzate di una notte più per il prezzo che per le grazie, e facevamo un amore senza amore, semivestiti il più delle volte e sempre al buio per immaginarci migliori. Quella notte scoprii il piacere inverosimile di contemplare il corpo di una donna addormentata senza le urgenze del desiderio o gli intralci del pudore.

Mi alzai alle cinque, inquieto perché il mio articolo domenicale doveva essere sul tavolo della redazione prima di mezzogiorno. Mi sbarazzai l'intestino puntualmente, ancora con gli ardori della luna piena, e allorché tirai la catena dell'acqua sentii che i miei malanimi del passato erano spariti lungo le condutture. Quando tornai fresco e vestito nella camera, la ragazza dormiva supina nella luce conciliante dell'alba, occupando il letto da un lato all'altro, con le braccia aperte in croce e padrona assoluta della sua verginità. Che Dio te la conservi, le dissi. Tutto il denaro che mi rimaneva, il suo e il mio, glielo misi sul guanciale, e mi congedai per i secoli dei secoli con un bacio sulla fronte. La casa, come qualsiasi bordello all'alba, era quanto di più vicino al paradiso. Uscii dal portone dell'orto per non incontrare nessuno. Sotto il sole ardente cominciai a sentire il peso dei miei novant'anni, e a contare minuto per minuto i minuti delle notti che mi mancavano per morire.

2

Scrivo queste memorie in quel poco che rimane della biblioteca che fu dei miei genitori, dove gli scaffali stanno per crollare grazie alla pazienza dei tarli. In fondo, per quanto devo ancora fare in questo mondo basterebbero i miei dizionari di ogni genere, le due prime serie degli *Episodi nazionali* di don Benito Pérez Galdós, e *La montagna incantata*, che mi ha insegnato a capire gli umori di mia madre traviati dalla tisi.

A differenza dagli altri mobili, e da me stesso, il tavolo su cui scrivo sembra in salute sempre migliore a mano a mano che passa il tempo, perché lo fabbricò con legno nobile il mio nonno materno, che era un costruttore di navi. Anche se non devo scrivere, lo preparo ogni mattina col rigore ozioso che mi ha fatto perdere tanti amori. A portata di mano ho i miei libri complici: i due tomi del *Primer Diccionario Ilustrado* della Real Academia, del 1903; il *Tesoro de la Lengua Castellana o Española* di don Sebastián Covarrubias; la grammatica di don Andrés Bello, qualora mi venisse un dubbio semantico, com'è di rigore; il nuovo *Diccionario ideológico* di don Julio Casares, in particolare per i suoi antonimi e i suoi sinonimi; il *Vocabolario della Lingua Italiana* di Nicola Zingarelli, per assistermi nell'idioma di mia madre, che ho imparato già in fasce, e il dizionario di latino, che essendo la madre delle altre due considero la mia lingua natale.

Sulla sinistra dello scrittoio tengo sempre i cinque fogli di carta filigranata formato ufficio per il mio articolo domenicale, e il corno con polvere di carta che preferisco al moderno tampone di carta assorbente. Sulla destra ci sono il calamaio e il portapenne di legno leggero con la stilografica d'oro, perché scrivo ancora a mano con i caratteri romantici che mi ha insegnato Florina de Dios affinché non mi abituassi alla calligrafia ufficiale di suo marito, che era stato notaio pubblico e perito giurato fino al suo ultimo respiro. Da tempo al giornale ci è stato imposto di scrivere a macchina per calcolare meglio il testo nel piombo della linotype e per maggiore esattezza nella composizione, ma non ho mai accettato questa brutta abitudine. Ho continuato a scrivere a mano e a trascrivere a macchina con un arduo becchettare da gallina, grazie al privilegio ingrato di essere l'impiegato più antico. Oggi, in pensione ma non vinto, godo del privilegio sacro di scrivere a casa, col telefono staccato per evitare che mi disturbino, e senza un censore che spii cosa scrivo da sopra la mia spalla.

Vivo senza cani né uccelli né domestici, tranne la fedele Damiana che mi ha salvato dai guai meno immaginabili, e continua a venire una volta alla settimana per quello che c'è da fare, anche nelle condizioni in cui è, scarsa di vista e di senno. Mia madre sul suo letto di morte mi supplicò di sposarmi da giovane con una donna bianca, di farci insieme almeno tre figli, e fra questi una bambina col suo nome, che era stato quello di sua madre e di sua nonna. Non dimenticai la supplica, ma avevo un'idea così flessibile della gioventù che non mi sembrò mai troppo tardi. Fino a un caldo mezzogiorno in cui mi sbagliai di porta nella casa che avevano i Palomares de Castro a Pradomar, e sorpresi nuda Ximena Ortiz, la minore delle figlie, che faceva la siesta nell'alcova attigua. Era coricata di spalle alla porta, e si girò a guardarmi con un gesto così rapido che non mi lasciò il tempo di scappare. Ah, mi scusi, riuscii a dire con l'anima sulle labbra. Lei sorrise, si volse verso di me in uno scorcio da gazzella, e mi si mostrò da capo a piedi. L'intero vano era saturo della sua intimità. Non era in carne viva, perché aveva all'orecchio un fiore velenoso dai petali arancione, come la *Olimpia* di Manet, e portava pure un braccialetto alla schiava al polso destro e una collanina di perle minute. Non mi ero mai immaginato di poter vedere qualcosa di più conturbante in quanto mi rimaneva da vivere, e oggi posso assicurare che avevo ragione.

Chiusi la porta d'un colpo, vergognando-
mi della mia sbadataggine, e deciso a di-
menticarla. Ma Ximena Ortiz me lo impedì.
Mi mandava messaggi tramite amiche co-
muni, biglietti provocanti, minacce brutali,
mentre si spargeva la voce che eravamo
pazzi d'amore l'uno per l'altra senza che ci
fossimo scambiati una parola. Fu impossibile resistere. Aveva certi occhi da gatta selvatica, un corpo procace sia con i vestiti sia
senza, e una chioma frondosa d'oro arruffa-
to il cui sentore di donna mi faceva piangere
di rabbia sul guanciale. Sapevo che non sarebbe mai diventato amore, ma l'attrazione
satanica che esercitava su di me era così ardente che cercavo di trovare sollievo in
qualsiasi femminella mi trovassi davanti.
Non riuscii mai a soffocare il fuoco del suo
ricordo nel letto di Pradomar, sicché le consegnai le armi, con formale richiesta di mano, scambio di anelli e annuncio di nozze in
pompa magna prima di Pentecoste.

La notizia esplose con più forza nel Quartiere Cinese che nei circoli mondani. Dapprima fu accompagnata da scherzi, ma si tra-

sformò in una opposizione netta delle acca-
demiche che consideravano il matrimonio
una cosa più ridicola che sacra. Il mio fidanzamento osservò tutti i riti della morale cri-
stiana sulla terrazza con orchidee amazzoni-
che e felci appese in casa della mia promessa
sposa. Arrivavo alle sette di sera, tutto vestito di lino bianco, e con un regalo di conterie
artigianali o cioccolatini svizzeri, e parlava-
mo metà in codice e metà sul serio fino alle
dieci, sotto la vigilanza della zia Argénida,
che si addormentava al primo ciondolar del
capo come le zitelle che facevano la guardia
nei romanzi di una volta.

Ximena diventava più vorace quanto meglio ci conoscevamo, si alleggeriva di corpet-
ti e sottane a mano a mano che incalzavano
le calure di giugno, ed era facile immaginarsi
il potere devastante che doveva avere nella
penombra. Dopo due mesi di fidanzamento
non sapevamo di cosa parlare, e lei avanzò
l'argomento dei figli senza dirlo, preparando
a crochet scarpette di lana grezza per neonati. Io, fidanzato gentile, imparai a lavorare al
crochet insieme a lei, e così passammo le ore

inutili che mancavano alle nozze, io preparando le scarpette celesti per i maschietti e lei preparando quelle rosa per le femminucce, in attesa di vedere chi avrebbe indovinato, finché ce ne furono abbastanza per oltre mezzo centinaio di figli. Prima che suonassero le dieci salivo su una carrozza tirata da cavalli e me ne andavo al Quartiere Cinese a vivere la mia notte nella pace di Dio.

I tempestosi addii da scapolo che mi organizzavano si muovevano in senso opposto rispetto alle serate opprimenti del Circolo Sociale. Contrasto che a me servì per sapere quale dei due mondi fosse in realtà il mio, e mi illusi che lo fossero entrambi ma ognuno al suo momento, perché da ognuno dei due vedevo allontanarsi l'altro fra i sospiri laceranti con cui si separano due navi in alto mare. Il ballo della vigilia a El Poder de Dios incluse una cerimonia finale che poteva venire in mente solo a un prete galiziano incallito nella concupiscenza, che fece indossare a tutto il personale femminile veli e fiori d'arancio, affinché tutte si sposassero con me in un sacramento universale. Fu una notte di grandi sacrilegi in cui ventidue di loro promisero amore e obbedienza e io le contraccambiai promettendo fedeltà e sostegno fin oltre la tomba.

Non riuscii a dormire per il presagio di qualcosa di irrimediabile. Dopo la mezzanotte cominciai a contare il trascorrere delle ore all'orologio della cattedrale, fino ai sette rintocchi temibili con cui dovevo trovarmi in chiesa. Lo squillo del telefono cominciò alle otto; lungo, tenace, imprevedibile, per oltre un'ora. Non solo non risposi: non respirai. Poco prima delle dieci chiamarono alla porta, dapprima col pugno, e poi con grida di voci note e abominate. Temevo che l'abbattessero per il grave contrattempo, ma verso le undici la casa rimase nel silenzio irto che fa seguito alle grandi catastrofi. Allora piansi per lei e per me, e pregai di tutto cuore per non incontrarla mai più nella mia vita. Qualche santo mi ascoltò a metà, perché Ximena se ne andò dal paese quella stessa notte e non tornò fino a una ventina di anni dopo, ben sposata e con i sette figli che sarebbero potuti essere miei.

Mi costò fatica conservare il mio posto e la mia rubrica al "Diario de la Paz", dopo quell'affronto sociale. Ma non fu per questo che relegarono i miei articoli alla pagina undici, bensì per l'impeto cieco con cui sopraggiunse il XX secolo. Il progresso divenne il mito della città. Tutto cambiò: volarono gli aerei e un uomo intraprendente lanciò un sacco di lettere da uno Junker e inventò la posta aerea.

L'unica cosa che rimase uguale fu la mia rubrica sul giornale. Le nuove generazioni vi si scagliarono contro, quasi fossero una mummia del passato che doveva essere abbattuta, ma io li conservai dello stesso tono, senza concessioni, nonostante ogni aria di rinnovamento. Fui sordo a tutto. Aveva quarant'anni, ma i redattori giovani la chiamavano la Colonna di Mudarra il Bastardo[2]. Il direttore di allora mi convocò nel suo ufficio per chiedermi che mi mettessi in sintonia con le nuove correnti. In un modo solenne, come se l'avesse appena inventato, mi disse:

[2] Mudarra il Bastardo è un eroe dell'epica spagnola. Fratellastro dei sette Infanti di Lara, ne vendicò l'infame uccisione. [N.d.T.]

Il mondo avanza. Sì, gli dissi, avanza, ma girando intorno al sole. Conservò il mio articolo domenicale perché non avrebbe trovato un altro rimpolpatore di dispacci. Oggi so che avevo ragione, e perché. Gli adolescenti della mia generazione resi famelici dalla vita avevano dimenticato in corpo e anima le illusioni dell'avvenire, finché la realtà non insegnò loro che il futuro non era come lo sognavano, e scoprirono la nostalgia. Ed ecco i miei articoli domenicali, come una reliquia archeologica fra le macerie del passato, e allora si resero conto che non erano solo per i vecchi ma anche per i giovani che non avessero paura di invecchiare. La rubrica tornò allora alle prime pagine, e in circostanze speciali, proprio sulla prima.

A chi me lo domanda rispondo sempre la verità: le puttane non mi hanno lasciato il tempo per sposarmi. Tuttavia, devo ammettere di non aver mai trovato questa spiegazione fino al giorno dei miei novant'anni, quando uscii dalla casa di Rosa Cabarcas con la decisione di non provocare mai più il destino. Mi sentivo un altro. Il mio umore cambiò per via della gente di truppa che vidi appostata davanti alla recinzione che circondava il parco. Trovai Damiana che passava lo straccio sul pavimento, a gattoni in salotto, e la giovinezza delle cosce alla sua età mi fece venire un brivido di altri tempi. Lei dovette accorgersene perché si coprì con la sottana. Non riuscii a reprimere la tentazione di domandarle: Mi dica una cosa, Damiana, di cosa si ricorda? Non mi stavo ricordando di niente, disse lei, ma la sua domanda me lo fa ricordare. Sentii un'oppressione al petto. Non mi sono mai innamorato, le dissi. Lei rispose subito: Io sì. E finì senza interrompere il suo lavoro: Ho pianto ventidue anni per lei. Il cuore mi fece un balzo. Cercando una via d'uscita dignitosa, le dissi: Saremmo stati una bella coppia. Fa male a dirmelo adesso, disse lei, perché ormai non mi serve neppure da consolazione. Mentre usciva di casa, disse nel modo più naturale: Lei non mi crederà, ma sono sempre vergine, ringraziando Iddio.

Poco dopo scoprii che aveva messo rose rosse in tutti i vasi di casa, e un biglietto sul guanciale: *Le auguro di arrivare ai cento*. Con questo cattivo sapore mi sedetti per proseguire l'articolo che avevo lasciato a metà il giorno prima. Lo finii tutto d'un fiato in meno di due ore e dovetti evitare ogni romanticismo per cavarmelo dalle budella senza che si notasse il pianto. In uno slancio di ispirazione tardiva decisi di finirlo annunciando che con quello mettevo termine felice a una vita lunga e degna senza la brutta condizione di morire.

Il mio proposito era di lasciarlo nella portineria del giornale e rincasare. Ma non mi fu possibile. Il personale al completo mi aspettava per festeggiare il mio compleanno. L'edificio era in restauro, con impalcature e calcinacci freddi ovunque, ma avevano interrotto i lavori per la festa. Su un tavolo da falegname c'erano le bevande per il brindisi e i regali avvolti in carta fantasia. Stordito dai lampi degli obiettivi mi rassegnai a tutte le foto del ricordo.

Mi rallegrò trovare lì giornalisti della radio e di altri quotidiani della città: "La Prensa", giornale conservatore del mattino; "El

Heraldo", giornale liberale del mattino, e "El Nacional", giornale scandalistico della sera che cercava di allentare le tensioni dell'ordine pubblico con storiacce passionali. Non era strano trovarli insieme, perché nello spirito della città si era sempre visto di buon occhio che rimanessero intatte le amicizie della truppa mentre i marescialli sferravano la guerra editoriale.

Fuori orario era venuto anche il censore ufficiale, don Jerónimo Ortega, che chiamavamo l'*Abominevole Uomo delle Nove* perché arrivava puntuale a quell'ora della sera con la sua matita sanguinolenta da satrapo conservatore. Si fermava finché non era sicuro che non ci fosse una lettera impune nell'edizione del mattino. Nutriva un'avversione personale nei miei confronti, per le mie pretese da grammatico, o perché usavo parole italiane senza virgolette né corsivo quando mi sembravano più espressive che in spagnolo, come dovrebbe essere di uso legittimo fra lingue siamesi. Dopo averlo subito per quattro anni, ci eravamo rassegnati ad accettarlo come la cattiva coscienza di noi stessi.

Le segretarie portarono nel salone una torta con novanta candeline accese che mi costrinsero ad affrontare per la prima volta il numero dei miei anni. Dovetti inghiottire le lacrime quando intonarono il brindisi, e mi ricordai della ragazza senza alcun motivo. Non fu un impeto di rancore ma di compassione tardiva per una creatura che non mi aspettavo di ricordare ancora. Quando fu passato l'angelo, mi avevano messo un coltello in mano affinché tagliassi la torta. Per timore degli scherzi nessuno si azzardò a improvvisare un discorso. Io avrei preferito morire piuttosto che rispondere. Per terminare la festa, il caporedattore, nei cui confronti non avevo mai nutrito molta simpatia, ci ricondusse alla realtà inclemente. E adesso, illustre nonagenario, mi disse: Dov'è il suo articolo?

Il fatto è che da tutto il pomeriggio lo sentivo ardermi come un tizzone nella tasca, ma l'emozione mi aveva preso così profondamente che non ebbi il coraggio di rovinare la festa con le mie dimissioni. Dissi: Questa volta non c'è. Il caporedattore se la prese per una mancanza che era stata inconcepibile fin dal secolo precedente. Cerchi di capire, gli dissi, ho avuto una notte così difficile che mi sono svegliato istupidito. Avrebbe dovuto scrivere proprio questo, disse lui col suo umore di aceto. Ai lettori piacerà sapere di prima mano com'è la vita a novant'anni. Una delle segretarie intervenne. Forse è un segreto delizioso, disse, e mi guardò con malizia: O no? Una raffica ardente mi incendiò la faccia. Maledizione, pensai, com'è sleale il rossore! Un'altra, raggiante, mi indicò col dito. Che meraviglia! Ha ancora l'eleganza di arrossire. La sua impertinenza mi causò un altro rossore sopra il rossore. Dev'essere stata una notte di battaglia, disse la prima segretaria: Che invidia! E mi diede un bacio che mi rimase stampato in faccia. I fotografi si scatenarono. Impacciato, consegnai l'articolo al caporedattore, e gli dissi che quanto detto prima era uno scherzo, eccolo qui, e scappai via stordito dall'ultima salva di applausi, per non essere presente allorché avessero scoperto che era la mia lettera di dimissioni dopo mezzo secolo di galere.

L'ansia mi perdurava ancora quella sera mentre scartavo i regali a casa mia. I linotipisti avevano preso una cantonata con una caffettiera elettrica uguale alle tre ricevute in compleanni precedenti. I tipografi mi avevano dato un buono per ritirare un gatto d'angora al canile municipale. La direzione mi aveva offerto una gratifica simbolica. Le segretarie mi avevano regalato tre mutande di seta con disegni di baci stampati, e un bigliettino in cui si proponevano per togliermele. Mi venne da pensare che una delle piacevolezze della vecchiaia sono le provocazioni che si permettono le amiche giovani che ci credono fuori servizio.

Non ho mai saputo chi mi avesse mandato un disco con i ventiquattro preludi di Chopin nell'esecuzione di Stefan Askenase. I redattori mi avevano regalato perlopiù libri alla moda. Non avevo finito di scartare i regali quando Rosa Cabarcas mi chiamò al telefono con la domanda che io non volevo sentire: Cos'è accaduto con la ragazza? Niente, dissi senza pensarci. Ti sembra che sia niente non averla neppure svegliata?, disse Rosa Cabarcas. Una donna non perdona mai che un uomo disprezzi la sua verginità. Le replicai che la ragazza non poteva essere esausta solo per avere attaccato dei bottoni, e che forse aveva fatto finta di dormire per paura del frangente. L'unica cosa grave, disse Rosa, è che lei crede davvero che tu non servi più, e non mi piacerebbe che andasse a dichiararlo ai quattro venti.

Non le feci il piacere di stupirmi. Anche se così fosse, le dissi, le sue condizioni sono tanto deplorevoli che non si può contare su di lei né addormentata né sveglia: è carne da ospedale. Rosa Cabarcas abbassò il tono: La colpa è stata della fretta con cui abbiamo combinato l'affare, ma c'è rimedio, vedrai. Promise di mettere la ragazza alle strette, e se era il caso di costringerla a restituire il denaro, cosa te ne sembra? Lascia perdere, le dissi, non è accaduto niente, e invece mi è servito da prova che non sono più fatto per queste imprese. In tal senso la ragazza ha ragione: non servo più. Riattaccai, saturo di un senso di liberazione che non avevo mai conosciuto, e finalmente in salvo da una servitù che mi teneva soggiogato fin dai tredici anni.

Alle sette di sera fui l'invitato d'onore al concerto di Jacques Thibaud e Alfred Cortot nella sala delle Belle Arti, con un'interpretazione gloriosa della *Sonata per violino e pianoforte* di César Frank, e nell'intermezzo sentii elogi inverosimili. Il maestro Pedro Biava, nostro musicista di spicco, quasi mi trascinò nei camerini per presentarmi agli interpreti. Mi imbarazzai tanto che feci i miei complimenti per una sonata di Schumann che non avevano eseguito, e qualcuno mi corresse pubblicamente in malo modo. L'impressione che avessi confuso le due sonate per semplice ignoranza aleggiò nell'atmosfera, aggravata da una spiegazione stordita con cui cercai di porvi rimedio la domenica successiva nella recensione del concerto.

Per la prima volta nella mia lunga vita mi sentii capace di ammazzare qualcuno. Rincasai tormentato dal diavoletto che soffia all'orecchio le risposte devastanti che non abbiamo dato in tempo, e né la lettura né la musica mitigarono la mia rabbia. Per fortuna Rosa Cabarcas mise fine alle mie smanie con un grido al telefono: È stata una gioia leggere il giornale, perché non pensavo che ne compissi novanta bensì cento. Le risposi piccato: Così malmesso ti sono sembrato? Al contrario, disse lei, mi sono stupita vedendoti così bene. È bello che tu non sia uno di quei vecchi sporcaccioni che si aumentano l'età perché li credano in buono stato. E subito proseguì: Ho il tuo regalo. Mi sorprese davvero: Cos'è? La ragazza, disse lei.

Non mi presi neppure un istante per pensarci. Grazie, le dissi, ma questa faccenda è acqua passata. Lei andò avanti: Te la mando a casa avvolta in carta di Cina e bollita con legno di sandalo a bagnomaria, tutto gratis. Mi tenni saldo, e lei si dibatté in una spiegazione sassosa che mi sembrò sincera. Disse che la ragazza era in così brutte condizioni quel venerdì perché aveva cucito duecento bottoni con ago e ditale. Che era vera la sua paura per gli stupri sanguinosi, ma era ormai preparata al sacrificio. Che nella sua notte con me si era alzata per andare in bagno, e io dormivo così bene che le era dispiaciuto svegliarmi, ma me n'ero già andato via quando si era svegliata al mattino. Mi indignai davanti a quella che mi sembrò una menzogna inutile. Be', proseguì Rosa Cabarcas, anche se così fosse, la ragazza è pentita. Poveretta, l'ho qui davanti a me. Vuoi che te la passi? No, in nome di Dio, le dissi.

Avevo cominciato a scrivere quando telefonò la segretaria del giornale. Il messaggio era che il direttore voleva vedermi il giorno dopo alle undici del mattino. Arrivai puntuale. Il baccano dei lavori di restauro dell'edificio non sembrava sopportabile, l'aria era rarefatta per via delle martellate, della polvere di cemento e del fumo del catrame, ma la redazione aveva imparato a pensare abituandosi al caos. Gli uffici del direttore, invece, gelidi e silenziosi, rimanevano in un paese ideale che non era il nostro.

Il terzo Marco Tulio, con un'aria adolescente, si alzò in piedi vedendomi entrare, senza interrompere una conversazione telefonica, mi strinse la mano da sopra la scrivania e mi fece segno di sedere. Arrivai a pensare che non ci fosse nessuno all'altra estremità del filo, e che lui recitasse la farsa per impressionarmi, ma ben presto scoprii che parlava col governatore, ed era davvero un dialogo difficile fra nemici cordiali. Inoltre, credo che si impegnasse per sembrare energico davanti a me, anche se intanto rimaneva in piedi mentre parlava con l'autorità.

In lui si notava il vizio della cura di sé. Aveva appena compiuto ventinove anni con quattro lingue e tre master internazionali, a differenza dal primo presidente a vita, suo nonno paterno, che era diventato giornalista empirico dopo aver fatto fortuna con la tratta delle bianche. Aveva modi sciolti, si mostrava gagliardo e sereno, e a mettere in pericolo la sua prestanza era solo una nota falsa nella voce. Indossava una giacca sportiva con un'orchidea vera all'occhiello, e tutto gli stava a pennello, ma nulla in lui era fatto per il clima della strada bensì per la primavera dei suoi uffici. Io, che ci avevo messo quasi due ore a vestirmi, sentii l'obbrobrio della povertà e crebbe la mia rabbia.

A parte questo, il veleno mortale era in una foto di gruppo del personale fisso scattata nel

25° anniversario della fondazione del giornale, dove venivano indicati con una crocetta sopra la testa quelli che a poco a poco morivano. Io ero il terzo a destra, con la paglietta, la cravatta dal nodo grosso con una perla sulla spilla, i primi mustacchi da colonnello civile che avevo portato fino ai quarant'anni, e gli occhialini metallici da seminarista di cui avevo avuto bisogno dopo il mezzo secolo. Avevo visto quella foto appesa per anni in diversi uffici, ma solo allora fui sensibile al suo messaggio: dei quarantotto impiegati originari solo in quattro eravamo ancora vivi, e il più giovane di noi scontava una condanna a vent'anni per omicidio plurimo.

Il direttore finì la telefonata, mi sorprese a guardare la foto, e sorrise. Le crocette non le ho messe io, disse. Mi sembrano di pessimo gusto. Si sedette alla scrivania e cambiò tono: Mi permetta di dirle che lei è l'uomo più imprevedibile che io abbia conosciuto. E dinanzi al mio stupore, anticipò ogni mossa: Mi riferisco alle sue dimissioni. Riuscii appena a dire: È tutta una vita. Lui rispose che proprio per questo non era una soluzione pertinente. L'articolo gli sembrava magnifico, e tutto quello che diceva della vecchiaia era quanto di meglio avesse mai letto, e non aveva senso finirlo con una decisione che sembrava semmai una morte civile. Per fortuna, disse, l'*Abominevole Uomo delle Nove* l'ha letto quando la pagina era già composta, e gli è sembrato inammissibile. Senza consultarsi con nessuno l'ha barrato dall'alto in basso con la sua matita da inquisitore. Quando sono venuto a saperlo questa mattina ho ordinato di inviare una nota di protesta al governo. Era mio dovere, ma fra noi, posso dirle che sono molto contento dell'arbitrarietà del censore. Perché non sono disposto ad accettare che interrompa la rubrica. La supplico con tutta l'anima. Non abbandoni la nave in alto mare. E concluse con grande stile: Ci rimangono ancora molte cose da dire sulla musica.

Lo vidi così deciso, che non osai aggravare la divergenza con un argomento secondario. Il problema, in realtà, era che neppure allora trovavo un motivo decente per interrompere il mio tran tran, e mi terrorizzò l'idea di dirgli di sì ancora una volta solo per guadagnare tempo. Dovetti reprimermi per non far notare l'emozione impudica che mi sollecitava le lacrime. E di nuovo, come sempre, ci ritrovammo al solito punto dopo tanti anni.

La settimana successiva, in preda a uno stato che era più di confusione che di allegria, passai dal canile a ritirare il gatto che mi avevano regalato i tipografi. Ho un pessimo rapporto con gli animali, lo stesso che ho con i bambini prima che comincino a parlare. Mi sembrano muti d'anima. Non li odio, ma non riesco a sopportarli perché non ho imparato ad avere rapporti con loro. Mi sembra contro natura che un uomo si intenda meglio col suo cane che con sua moglie, che gli insegni a mangiare e a non mangiare alle sue ore, a rispondere a domande e a spartire le sue pene. Ma non ritirare il gatto dei tipografi sarebbe stato uno spregio. Inoltre, era un prezioso esemplare d'angora, dal pelo roseo e terso e dagli occhi illuminati, i cui miagolii sembravano sul punto di essere parole. Me lo consegnarono in un canestro di vimini con un certificato della sua razza e un manuale d'uso come quello delle biciclette da montare.

Una pattuglia militare controllava i documenti dei passanti prima di autorizzarli ad attraversare il parco di San Nicolás. Non avevo mai visto nulla di simile né potevo immaginare nulla di più sconfortante come sintomo della mia vecchiaia. Era una pattuglia di quattro uomini, al comando di un ufficiale quasi adolescente. I soldati erano individui degli altopiani, duri e silenziosi con un odore di stalla. L'ufficiale li sorvegliava tutti con le guance rubizze degli andini in riva al mare. Dopo aver controllato la mia carta d'identità e le mie credenziali di giornalista mi domandò cos'avevo nella cesta. Un gatto, gli dissi. Lui volle vederlo. Scoperchiai la cesta con ogni cautela per timore che fuggisse, ma un soldato volle vedere se non c'era qualcos'altro nel fondo, e il gatto gli mollò un graffio. L'ufficiale intervenne. È un gioiello d'angora, disse. Lo accarezzò mentre mormorava qualcosa, e il gatto non lo aggredì ma neppure gli diede retta. Quanti anni ha?, domandò. Non lo so, gli dissi, me l'hanno appena regalato. Glielo domando perché si vede che è molto vecchio, dieci anni, forse. Volli domandargli come lo sapeva, e molte altre cose, ma a dispetto dei suoi bei modi e del suo linguaggio forbito non mi sentivo dell'umore di parlare con lui. Mi sembra che sia un gatto abbandonato che ne ha passate molte, disse. Lo osservi, non lo adatti a lei ma tutto il contrario, lei a lui, e lo lasci fare, finché non si sarà guadagnato la sua fiducia. Chiuse il coperchio della cesta, e mi domandò: Che lavoro fa? Sono un giornalista. Da quando? Da un secolo, gli dissi. Non ne dubito, disse lui. Mi strinse la mano e si congedò con una frase che poteva essere un buon consiglio come una minaccia:

«Faccia molta attenzione.»

A mezzogiorno staccai il telefono per rifugiarmi nella musica con un programma squisito: la *Rapsodia per clarinetto e orchestra* di Wagner, quella per sassofono di Debussy e il *Quintetto per archi* di Bruckner, che è una gora paradisiaca nel cataclisma della sua opera. E d'improvviso mi ritrovai avvolto nelle tenebre dello studio. Sentii scivolare sotto il mio tavolo qualcosa che non mi sembrò un corpo vivo ma una presenza sovrannaturale che mi sfiorò i piedi, e feci un balzo gridando. Era il gatto con la bella coda dritta, la sua lentezza misteriosa e la sua razza mitica, e non riuscii a evitare il brivido di essere solo in casa con un essere vivo che non era umano.

Quando risuonarono le sette alla cattedrale, c'era una stella sola e limpida nel cielo color di rose, un battello lanciò un addio sconsolato, e sentii in gola il nodo gordiano di tutti gli amori che avrebbero potuto essere e non erano stati. Non sopportai oltre. Presi il telefono col cuore in gola, composi i quattro numeri molto lentamente per non sbagliarmi, e al terzo squillo riconobbi la voce. Allora, mia cara, le dissi con un sospiro di sollievo: Perdona i miei capricci di questa mattina. Lei, tranquilla: Non preoccuparti, stavo aspettando la tua chiamata. L'avvertii: Voglio che la ragazza mi aspetti come Dio l'ha messa al mondo e senza pitture in faccia. Lei fece la sua risata gutturale. Ai tuoi ordini, disse, ma ti perdi il gusto di spogliarla pezzo per pezzo, come piace ai vecchi, non so perché. Io sì che lo so, le dissi: Perché stanno diventando sempre più vecchi. Lei la prese per buona.

«Va bene» disse, «allora questa sera alle dieci in punto, prima che si raffreddi il merluzzo.»

3

Come si poteva chiamare? La vecchia non me l'aveva detto. Quando mi parlava di lei diceva solo: la ragazza. E io l'avevo trasformato in un nome di battesimo, come la pupilla degli occhi o la caravella più piccola.[3] Inoltre, Rosa Cabarcas attribuiva alle sue protette un nome diverso per ogni cliente. Io mi divertivo a indovinarli dalle facce, e fin dall'inizio fui sicuro che la ragazza ne avesse uno lungo, tipo Filomena, Saturnina o Nicolasa. A questo stavo pensando quando lei si rigirò nel letto e mi volse la schiena, e mi

[3] Gioco di parole. Nel testo in lingua originale "ragazza" è *niña*, che in spagnolo significa pure "pupilla" (degli occhi) e, inoltre, è il nome della più piccola delle caravelle di Cristoforo Colombo. [*N.d.T.*]

sembrò che avesse lasciato una pozza di sangue della grandezza e della forma del corpo. Fu uno spavento istantaneo finché non constatai che era l'umidità del sudore sul lenzuolo.

Rosa Cabarcas mi aveva consigliato di trattarla con cautela, perché aveva ancora la paura della prima volta. Anzi, credo che la stessa solennità del rito le avesse aggravato la paura e avevano dovuto aumentarle la dose di valeriana, perché dormiva così placidamente che sarebbe stato un peccato svegliarla senza riguardo. Sicché cominciai ad asciugarla con la salvietta mentre le cantavo sussurrando la canzone di Delgadina, la figlia minore del re, amatissima da suo padre. A mano a mano che l'asciugavo lei mi mostrava i fianchi sudati al ritmo del mio canto: *Delgadina, Delgadina, tu sarai la luce dei miei occhi.* Fu un piacere senza pari perché lei riprendeva a sudare da una parte quando finivo di asciugarla dall'altra, in modo che la canzone non finisse mai. *Alzati, Delgadina, mettiti la sottana di seta,* le cantavo all'orecchio. Alla fine, quando i servitori del re l'avevano trovata morta di sete nel suo letto, mi sembrò che fosse stata sul punto di svegliarsi sentendo il nome. Sicché era proprio lei: Delgadina.

Tornai al letto con le mie mutande dai baci stampati e mi distesi accanto a lei. Dormii fino alle cinque nella melodia del suo respiro quieto. Mi vestii in gran fretta senza lavarmi, e solo allora vidi la frase scritta col rossetto sullo specchio del lavandino: *La tigre non mangia lontano*. So che non c'era la sera prima e nessuno poteva essere entrato nella camera, sicché la intesi come un regalo del diavolo. Un tuono raggelante mi colse sulla soglia, e la camera si riempì dell'odore presago della terra bagnata. Non ebbi il tempo di fuggire illeso. Prima di trovare un taxi si abbatté un acquazzone grande, di quelli che scombussolano la città fra maggio e ottobre, perché le vie dalle sabbie ardenti che scendono verso il fiume si trasformano in fiumane che trascinano tutto quanto trovano al loro passaggio. Le acque di quel settembre strano, dopo tre mesi di siccità, potevano essere provvidenziali come devastanti.

Appena aprii la porta di casa fui colto dalla sensazione fisica di non essere solo. Riuscii a vedere il lampo del gatto che saltò giù dal divano e guizzò verso il balcone. Nel suo piatto rimanevano gli avanzi di un pasto che io non gli avevo servito. Il lezzo della sua orina stantia e della sua cacca calda aveva contaminato tutto. Mi ero messo a studiarlo come avevo studiato il latino. Il manuale diceva che i gatti scavano in terra per nascondere il loro sterco, e che nelle case senza patio, come questa, lo farebbero nei vasi delle piante, o in qualsiasi altro nascondiglio. La cosa migliore era preparare fin dal primo giorno una cassetta con sabbia perché vi si abituino, e così avevo fatto. Diceva pure che in una casa nuova innanzitutto segnano il loro territorio orinando ovunque, e quello poteva essere stato il caso, ma il manuale non diceva come rimediarvi. Seguivo le sue tracce per familiarizzarmi con le sue abitudini originali, ma non trovai i suoi nascondigli segreti, i suoi posti per riposare, le cause dei suoi umori volubili. Volli insegnargli a mangiare alle sue ore, a usare la cassetta di sabbia sulla terrazza, a non salire sul mio letto mentre dormivo né ad annusare il cibo sulla tavola, e non riuscii a fargli intendere che la casa era sua per diritto proprio e non come un bottino di guerra. Sicché lo lasciai fare a modo suo.

All'imbrunire affrontai l'acquazzone, i cui venti tempestosi minacciavano di scardinare la casa. Ebbi una crisi di starnuti successivi, mi faceva male il cranio e avevo la febbre, ma mi sentivo posseduto da una forza e una determinazione che non avevo mai avuto a nessuna età e per nessun motivo. Sistemai pentole sul pavimento per raccogliere le infiltrazioni d'acqua, e mi accorsi che se n'erano formate di nuove rispetto all'inverno precedente. La più grande aveva cominciato a inondare la parte destra della biblioteca. Mi affrettai a riscattare gli autori greci e latini che vivevano da quelle parti, ma togliendo i libri trovai uno zampillo ad alta pressione che usciva da un antico tubo rotto nella parte bassa di una parete. Lo imbavagliai con stracci alla bell'e meglio per avere il tempo di salvare i libri. Lo strepito dell'acqua e il gemito del vento crebbero sul parco. D'improvviso, un lampo spettrale e il suo tuono simultaneo impregnarono l'aria di un forte odore di zolfo, il vento sbaragliò le vetrate del balcone e la tremenda burrasca di mare infranse i chiavistelli ed entrò nella casa. Tuttavia, prima di dieci minuti cessò tutto d'un colpo. Un sole splendido asciugò le vie piene di relitti arenati, e tornò il caldo.

Quando l'acquazzone fu passato avevo sempre l'impressione di non essere solo in casa. La mia unica spiegazione è che così come i fatti reali si dimenticano, alcuni che non si sono mai prodotti possono anche inserirsi tra i ricordi come se fossero stati. Perché se evocavo l'emergenza dell'acquazzone non vedevo me stesso da solo in casa ma sempre in compagnia di Delgadina. L'avevo sentita così vicina nella notte che coglievo il rumore del suo respiro nella camera da letto, e il pulsare della sua gota sul mio guanciale. Solo in questo modo intesi che avremmo potuto fare tanto in così poco tempo. Mi ricordavo salito sullo sgabello della biblioteca e ricordavo lei sveglia col suo vestitino a fiori che prendeva i libri per metterli in salvo. La vedevo correre da una parte all'altra della casa battagliando con la burrasca, fradicia di pioggia con l'acqua alle caviglie. Ricordavo come aveva preparato il giorno dopo una colazione che non c'era mai stata, e aveva apparecchiato mentre io asciugavo i pavimenti e mettevo ordine nel naufragio della casa. Non dimenticai mai il suo sguardo cupo mentre facevamo colazione: Perché mi hai conosciuta così vecchio? Le risposi la verità: L'età non è quella che si ha ma quella che si sente.

A partire da allora la ebbi nella memoria con una tale nitidezza che facevo di lei quello che volevo. Le cambiavo il colore degli occhi secondo il mio stato d'animo: colore d'acqua al risveglio, colore di giulebbe quando rideva, colore di fiamma quando la contrariavo. La vestivo secondo l'età e la circostanza che si addicevano ai miei cambiamenti d'umore: novizia innamorata a vent'anni, puttana da salotto a quaranta, regina di Babilonia a settanta, santa a cento. Cantavamo duetti d'amore di Puccini, boleri di Agustín Lara, tanghi di Carlos Gardel, e constatavamo per l'ennesima volta che chi non canta non può neppure immaginare cosa sia la felicità di cantare. Oggi so che non fu un'allucinazione, ma un ulteriore miracolo del primo amore della mia vita a novant'anni.

Quando la casa fu in ordine telefonai a Rosa Cabarcas. Santo Iddio!, esclamò sentendo la mia voce, credevo che fossi annegato. Non poteva credere che avessi di nuovo passato la notte con la ragazza senza toccarla. Hai ogni diritto che non ti piaccia, ma almeno comportati da adulto. Cercai di spiegarle, ma lei cambiò subito argomento: Comunque ne ho adocchiata un'altra un po' più grande, bella e pure lei vergine. Suo papà vuole barattarla con una casa, ma si può discutere un ribasso. Mi si raggelò il cuore. Neanche per sogno, protestai spaventato, voglio la stessa, e come sempre, senza fracassi, senza battaglie, senza brutti ricordi. Ci fu un silenzio nella linea, e infine la voce sottomessa con cui disse come fra sé: Dev'essere quella che i medici chiamano demenza senile.

Ci andai alle dieci di sera con un autista

noto per la strana virtù di non fare domande. Avevo con me un ventilatore portatile e
un quadro di Orlando Rivera, l'amato *Figurita*, e un martello e un chiodo per appender-
lo. Nel tragitto feci una sosta per comprare
spazzolini da denti, dentifricio, sapone pro-
fumato, Agua de Florida, pastiglie di liquirizia. Volli portare anche un bel vaso e un
mazzo di rose gialle per scongiurare la beffa
dei fiori di carta, ma non trovai niente di
aperto e dovetti rubare in un giardino priva-
to un mazzo di astromelie neonate.

Dietro indicazione della vecchia, a partire
da allora arrivai per la via sul retro, dalla
parte dell'acquedotto, affinché nessuno mi
vedesse entrare dal portone dell'orto. L'autista mi avvertì: Attenzione, professore, in
quella casa ammazzano. Gli risposi: Se è per
amore non importa. Il patio era al buio, ma
c'erano luci di vita alle finestre e un miscu-
glio di musiche nelle sei camere. Nella mia, a
volume più alto, distinsi la voce calda di don
Pedro Vargas, il tenore d'America, con un bolero di Miguel Matamoros. Mi sembrò di morire. Spinsi la porta col respiro sconvolto e vi-

di Delgadina sul letto come nei miei ricordi: nuda e addormentata in santa pace dalla parte del cuore.

Prima di coricarmi sistemai la specchiera, misi il ventilatore nuovo al posto di quello arrugginito, e appesi il quadro dove lei potesse vederlo dal letto. Mi coricai al suo fianco e la riconobbi palmo a palmo. Era la stessa che si aggirava in casa mia: le stesse mani che mi riconoscevano al tatto nel buio, gli stessi piedi dai passi tenui che si confondevano con quelli del gatto, lo stesso odore del sudore delle mie lenzuola, il dito del ditale. Incredibile: vedendola e toccandola in carne e ossa, mi sembrava meno reale che nei miei ricordi.

C'è un quadro sulla parete di fronte, le dissi. L'ha dipinto *Figurita*, un uomo cui abbiamo voluto molto bene, il miglior ballerino da bordello che sia mai esistito, e di così buon cuore che aveva compassione del diavolo. L'ha dipinto con vernice da battelli sulla tela bruciacchiata di un aereo che si era sfracellato sulla Sierra Nevada di Santa Marta e con pennelli fabbricati da lui con peli del suo cane. La donna dipinta è una monaca che ha sequestrato da un convento e con cui si è poi sposato. Lo lascio qui, affinché sia la prima cosa che tu veda al risveglio.

Non aveva cambiato posizione quando spensi la luce, all'una del mattino, e il suo respiro era così tenue che le controllai il polso per sentirla viva. Il sangue circolava nelle sue vene con la fluidità di una canzone che si ramificava sino agli anfratti più reconditi del corpo e tornava al cuore purificato dall'amore.

Prima di andarmene all'alba disegnai su un foglio le linee della sua mano, e le diedi da leggere alla Diva Sahibí per conoscere la sua anima. E fu così: una persona che dice solo quello che pensa. È perfetta per i lavori manuali. È in contatto con qualcuno che è già morto, e da cui aspetta aiuto, ma si sbaglia: l'aiuto che cerca è a portata della sua mano. Non ha avuto alcuna unione, ma morirà anziana e sposata. Adesso ha un uomo bruno, che non dev'essere quello della sua vita. Può avere otto figli, ma deciderà solo per tre. A trentacinque anni, se farà quello che le indica il cuore e non la mente, disporrà di molto denaro, e a quaranta riceverà un'eredità. Viaggerà molto. Ha una doppia vita e una doppia sorte, e può influire sul suo stesso destino. Le piace provare tutto, per curiosità, ma se ne pentirà se non si lascia guidare dal cuore.

Tormentato dall'amore feci riparare i danni della burrasca, e ne approfittai per fare molte altre riparazioni che stavo rinviando da anni per mancanza di denaro o per negligenza. Riorganizzai la biblioteca, secondo l'ordine in cui avevo letto i libri. Alla fine liquidai la pianola come una reliquia storica con i suoi cento e più rotoli di classici, e comprai un giradischi usato ma migliore del mio, con casse ad alta fedeltà che ingrandirono lo spazio della casa. Mi ritrovai sull'orlo della rovina ma ben compensato dal miracolo di essere vivo alla mia età.

La casa rinasceva dalle sue ceneri e io navigavo nell'amore di Delgadina con un'intensità e una gioia che non avevo mai conosciuto nella mia vita precedente. Grazie a lei affrontai per la prima volta il mio essere naturale mentre trascorrevano i miei novant'anni. Scoprii che l'ossessione che ogni cosa fosse al suo posto, ogni faccenda a suo tempo, ogni parola nel suo stile, non era il premio meritato di una mente in ordine, ma tutto il contrario, un intero sistema di simulazione inventato da me per nascondere il disordine della mia natura. Scoprii di non essere disciplinato per virtù, ma per reazione alla mia negligenza; di sembrare generoso per nascondere la mia meschinità, di passare per prudente solo perché sono malpensante, di essere arrendevole per non soccombere alle mie collere represse, di essere puntuale solo perché non si sappia quanto poco mi importa del tempo altrui. Scoprii, insomma, che l'amore non è uno stato dell'anima ma un segno dello zodiaco.

Divenni un altro. Cercai di rileggere i classici che mi avevano guidato nell'adolescenza, e non ci riuscii. Mi immersi nella letteratura romantica che avevo respinto quando mia madre aveva voluto impormela con mano pesante, e lì presi coscienza che la forza invincibile che ha spinto il mondo non sono gli amori felici bensì quelli contrastati. Quando i miei gusti musicali entrarono in crisi mi scoprii arretrato e vecchio, e aprii il mio cuore alle delizie del caso.

Mi domando come abbia potuto soccombere a questa vertigine perpetua che io stesso provocavo e temevo. Fluttuavo fra nuvole erratiche e parlavo con me stesso davanti allo specchio nella vana illusione di accertare chi ero. Erano tali i miei vaneggiamenti, che in una manifestazione studentesca con pietre e bottiglie, dovetti fare di necessità virtù per non mettermi alla testa con una scritta che consacrasse la mia verità: *Sono pazzo d'amore.*

Obnubilato dall'evocazione inclemente di Delgadina addormentata, cambiai senza la minima malizia lo spirito dei miei articoli domenicali. Qualunque fosse l'argomento li scrivevo per lei, li ridevo e li piangevo per lei, e in ogni parola ci mettevo la vita. Invece della formula da cronachetta tradizionale che avevano sempre avuto, li scrissi come lettere d'amore che ognuno poteva fare sue. Proposi al giornale che il testo non venisse composto con la linotype ma che fosse pubblicato con la mia calligrafia fiorentina. Al caporedattore, guarda un po', parve un altro accesso di vanità senile, ma il direttore generale lo convinse con una frase che circola ancora nella redazione:

«Ne prenda atto: i pazzerelli tranquilli anticipano l'avvenire.»

La risposta pubblica fu immediata ed entusiasta, con numerose lettere di gente innamorata. Alcune le leggevano nei notiziari radiofonici con un'urgenza da ultima ora, e ne vennero fatte copie fotostatiche o con la carta carbone, che vendevano come sigarette di contrabbando agli angoli della Calle San Blas. Fin dall'inizio fu evidente che obbedivano all'ansia di esprimermi, ma presi l'abitudine di riflettere mentre le scrivevo, e sempre con la voce di un uomo di novant'anni che non ha imparato a pensare come un vecchio. La comunità intellettuale, al suo solito, si mostrò timorosa e divisa, e persino i grafologi più inattesi montarono controversie a causa delle analisi erratiche della mia calligrafia. Furono loro a dividere gli animi, rinvigorirono la polemica e lanciarono la moda della nostalgia.

Prima della fine dell'anno mi ero messo d'accordo con Rosa Cabarcas per lasciare nella camera il ventilatore, gli oggetti di uso personale e quanto avrei continuato a portare in futuro per renderla vivibile. Arrivavo alle dieci, sempre con qualcosa di nuovo per lei, o per il piacere di entrambi, e dedicavo qualche minuto a tirare fuori gli utensili nascosti per montare il teatro delle nostri notti. Prima di andarmene, mai più tardi delle cinque, risistemavo tutto sotto chiave. Allora l'alcova rimaneva misera come lo era stata alle sue origini per gli amori tristi dei clienti casuali. Un mattino sentii che Marcos Pérez, la voce più seguita della radio fin dall'alba, aveva deciso di leggere il mio articolo domenicale nei suoi notiziari del lunedì. Quando riuscii a reprimere la nausea dissi stupito: Sai, Delgadina, la fama è una signora molto grassa che non dorme con te, ma quando ti svegli è sempre lì a guardarti ai piedi del letto.

Uno di quei giorni mi fermai a colazione con Rosa Cabarcas, che cominciava a sembrarmi meno decrepita malgrado il lutto stretto e la cuffia nera che ormai le copriva le sopracciglia. Le sue colazioni avevano fama di essere splendide, con una dose di pepe che mi faceva piangere. Al primo boccone di fuoco vivo le dissi bagnato di lacrime: Questa notte non avrò bisogno della luna piena perché mi arda il culo. Non lagnarti, disse lei. Se ti arde è perché ce l'hai ancora, grazie a Dio.

Si stupì quando feci il nome di Delgadina. Non si chiama così, disse, si chiama... Non dirmelo, la interruppi, per me è Delgadina. Lei scrollò le spalle: Be', in fondo è tua, ma mi sembra il nome di un diuretico. Le raccontai della frase con la tigre che la ragazza aveva scritto sullo specchio. Non può essere stata lei, disse Rosa, perché non sa né leggere né scrivere. Allora chi? Lei scrollò le spalle: Può essere stato qualcuno che è morto nella camera.

Io approfittavo di quelle colazioni per sfogarmi con Rosa Cabarcas e le chiedevo favori minimi per il benessere e il bell'aspetto di Delgadina. Me li concedeva senza pensarci con una malizia da collegiale. Che ridere!, mi disse in quei giorni. È come se mi stessi chiedendo la sua mano. E a proposito, le venne in mente, perché non ti sposi con lei? Rimasi di sasso. Davvero, insistette, ti costa di meno. In fin dei conti, il problema alla tua età è se servi o non servi, ma mi hai già detto che questo l'hai risolto. La interruppi: Il sesso è la consolazione che si ha quando l'amore non basta.

Lei scoppiò a ridere: Ah, caro professore, ho sempre saputo che sei molto uomo, che lo sei sempre stato, e mi rallegra che tu continui a esserlo mentre i tuoi nemici depongono le armi. A ragione si parla tanto di te. Hai sentito Marcos Pérez? Tutti lo ascoltano, le dissi, per chiudere subito l'argomento. Ma lei insistette: Anche il professor Camacho y Cano, in *L'ora di tutto un po'*, ieri ha detto che il mondo non è più quello che era perché non rimangono molti uomini come te.

Quel fine settimana trovai Delgadina con la febbre e la tosse. Svegliai Rosa Cabarcas perché mi desse qualche rimedio casalingo, e mi portò nella camera una valigetta per il pronto soccorso. Due giorni dopo Delgadina era sempre prostrata, e non aveva potuto tornare al suo lavoro di attaccare bottoni. Il medico le aveva prescritto un trattamento casalingo per un comune raffreddore che sarebbe passato in una settimana, ma si allarmò per le sue condizioni generali di denutrizione. Smisi di vederla, e mi accorsi che ne avevo bisogno, e ne approfittai per sistemare la camera senza di lei.

Portai pure un disegno a penna di Cecilia Porras per *Todos estábamos a la espera*, il libro di racconti di Álvaro Cepeda. Portai i sei tomi di *Jean-Christophe*, di Romain Rolland, per intrattenere le mie veglie. Sicché quando Delgadina poté tornare nella camera la trovò degna di una felicità sedentaria: l'aria purificata con un insetticida aromatico, pareti color rosa, luci soffuse, fiori freschi nei vasi, i miei libri preferiti, i bei quadri di mia madre appesi in un altro modo, secondo i gusti di oggi. Avevo cambiato la vecchia radio con una a onde corte che tenevo sintonizzata su un programma di musica classica, affinché Delgadina imparasse a dormire con i quartetti di Mozart, ma una sera la trovai su una stazione specializzata in boleri alla moda.

Erano i gusti di lei, sicuramente, e li accettai senza dolore, perché anch'io li avevo coltivati col cuore nei miei tempi migliori. Prima di rincasare il giorno dopo scrissi sullo specchio col rossetto: *Ragazza mia, siamo soli nel mondo*.

In quel periodo ebbi la strana impressione che stesse diventando adulta prima del tempo. Ne parlai con Rosa Cabarcas, e a lei sembrò naturale. Compie quindici anni il cinque dicembre, mi disse. Una perfetta Sagittario. Mi inquietò che fosse così reale da compiere gli anni. Cosa potrei regalarle? Una bicicletta, disse Rosa Cabarcas. Deve attraversare la città due volte al giorno per andare ad attaccare bottoni. Mi mostrò nel retrobottega la bicicletta che usava, e mi sembrò davvero un rottame indegno di una donna tanto amata. Tuttavia, mi commosse come la prova tangibile che Delgadina esisteva nella vita reale.

Quando andai a comprarle la migliore bicicletta non seppi resistere alla tentazione di provarla e feci qualche giro a caso sullo spiazzo davanti al negozio. Al venditore che mi chiese l'età risposi con la civetteria della vecchiaia: Sto per compierne novantuno. L'uomo disse proprio quello che volevo sentire: Ne dimostra venti di meno. Io stesso non capivo come avessi ancora la pratica dei tempi di scuola, e mi sentii invaso da una gioia raggiante. Cominciai a cantare. Dapprima per me stesso, a bassa voce, e poi a pieni polmoni dandomi arie da gran Caruso, in mezzo alle botteghe variegate e al traffico demente del mercato pubblico. La gente mi guardava divertita, mi gridavano, mi incitavano a partecipare al Giro della Colombia su sedia a ruote. Io facevo con la mano un saluto da navigatore felice senza interrompere la canzone. Quella settimana, in omaggio a dicembre, scrissi un altro articolo audace: *Come essere felici in bicicletta a novant'anni.*

La sera del suo compleanno cantai a Delgadina la canzone completa, e le baciai tutto il corpo sino a rimanere senza fiato: la spina dorsale, vertebra per vertebra, fino alle natiche languide, il lato del neo, quello del suo cuore inesauribile. A mano a mano che la baciavo aumentava il calore del suo corpo e sprigionava una fragranza selvatica. Lei mi rispose con vibrazioni nuove in ogni centimetro della sua pelle, e in ognuno trovai un calore diverso, un sapore proprio, un gemito nuovo, e lei tutta riecheggiò dentro con un arpeggio e i suoi capezzoli si aprirono a fiore senza che li avessi toccati. Stavo per addormentarmi all'alba quando sentii come un rumore di folle sul mare e un panico degli alberi che mi attraversarono il cuore. Allora andai in bagno e scrissi sullo specchio: *Delgadina della mia vita, sono arrivate le brezze di Natale.*

Uno dei miei ricordi più felici fu uno scombussolio che avevo avuto una mattina come quella uscendo da scuola. Cosa mi succede? La maestra mi disse istupidita: Ah, piccolo, non vedi che sono le brezze? Ottant'anni dopo le sentii di nuovo quando mi svegliai nel letto di Delgadina, ed era lo stesso dicembre che tornava puntuale con i suoi cieli diafani, le tormente di sabbia, i mulinelli per strada che scoperchiavano le case e alzavano le sottane alle collegiali. Allora la città acquisiva una risonanza spettrale. Nelle notti di brezza era possibile sentire le grida del mercato pubblico anche nei quartieri più alti, come se fossero all'angolo della via. A quell'epoca non era raro che le raffiche di dicembre ci permettessero di rintracciare attraverso le loro voci gli amici disseminati in bordelli remoti.

Tuttavia, sempre con le brezze mi arrivò pure la brutta notizia che Delgadina non poteva passare le vacanze di Natale con me per via della sua famiglia. Se c'è una cosa che detesto in questo mondo sono le feste obbligate in cui la gente piange perché è allegra, i fuochi artificiali, le recite insulse, le ghirlande di carta crespa che non hanno nulla a che vedere con un bambino nato duemila anni fa in una stalla indigente. Tuttavia, quando arrivò la notte non seppi resistere alla nostalgia e andai nella camera senza di lei. Dormii bene, e mi svegliai accanto a un orso di peluche che camminava su due zampe come se fosse polare, e un biglietto che diceva: *Per il papà brutto*. Rosa Cabarcas mi aveva detto che Delgadina stava imparando a leggere con le mie lezioni scritte sullo specchio, e i suoi bei caratteri mi sembrarono ammirevoli. Ma lei stessa mi deluse con la notizia peggiore che l'orso era un regalo suo, sicché la notte di Capodanno rimasi a casa mia e nel mio letto fin dalle otto, e mi addormentai senza amarezze. Fui felice, perché i rintocchi della mezzanotte, fra gli scampanii furibondi, le sirene di fabbriche e pompieri, i lamenti dei battelli, le scariche di polvere, i mortaretti, sentii che Delgadina entrò in punta di piedi, si coricò al mio fianco, e mi diede un bacio. Così reale, che mi rimase sulle labbra il suo odore di liquirizia.

4

Al principio dell'anno nuovo iniziavamo a conoscerci come se vivessimo insieme e da svegli, perché io avevo trovato un tono di voce cauto che lei sentiva senza svegliarsi, e mi rispondeva con un linguaggio naturale del corpo. I suoi stati d'animo si notavano dal modo di dormire. Da esausta e selvatica com'era stata all'inizio, si avvicinò a una pace interiore che le abbelliva il viso e le arricchiva il sonno. Le raccontavo la mia vita, le leggevo all'orecchio le minute dei miei articoli domenicali in cui c'era lei senza che lo dicessi, e solo lei.

In quel periodo le lasciai sul guanciale un paio di orecchini di smeraldi che erano stati di mia madre. Se li mise all'appuntamento successivo e non le si addicevano. Le portai poi dei pendenti più intonati al colore della sua pelle. Le spiegai: I primi che ti ho regalato non stavano bene al tuo tipo e al tuo taglio di capelli. Questi ti staranno meglio. Non ne portò altri ai due appuntamenti successivi, ma al terzo si mise quelli che le avevo indicato. Così iniziai a capire che non obbediva ai miei ordini, ma aspettava l'occasione per farmi piacere. In quei giorni mi sentii così abituato a quel genere di vita domestica, che non continuai a dormire nudo ma mi infilai i pigiami di seta cinese che avevo smesso di usare perché non avevo nessuno per cui togliermeli.

Cominciai a leggerle *Il piccolo principe* di Saint-Exupéry, un autore francese che il mondo intero ammira più dei francesi. Fu il primo che la intrattenne senza svegliarla, al punto che dovetti andare due giorni di seguito per finire di leggerglielo. Continuammo con i *Racconti* di Perrault, la *Storia sacra* e *Le mille e una notte* in una versione disinfettata per bambini, e dalle differenze fra l'uno e l'altro mi resi conto che il suo sonno aveva diversi gradi di profondità secondo l'interesse per le letture. Quando sentivo di aver toccato il fondo spegnevo la luce e dormivo abbracciato a lei finché non cantavano i galli.

Ero così felice, che la baciavo sulle palpebre, piano piano, e una notte ci fu come una luce nel cielo: sorrise per la prima volta. In seguito, senza motivo, si rigirò nel letto, mi volse la schiena, e disse dispiaciuta: È stata Isabel a far piangere le chiocciole. Esaltato dall'illusione di un dialogo, le domandai sullo stesso tono: Di chi erano? Non rispose. La sua voce aveva una traccia plebea, come se non fosse la sua ma di qualcun altro che aveva dentro. Ogni ombra di dubbio scomparve allora dalla mia anima: la preferivo addormentata.

Il mio unico problema era il gatto. Era inappetente e scontroso e da due giorni se ne stava nel solito angolo senza alzare la testa, e mi mollò un graffio da belva ferita quando volli metterlo nella sua cesta di vimini perché Damiana lo portasse dal veterinario. A stento riuscì a sottometterlo, e lo portò via che si divincolava dentro un sacco di fibra d'agave. Di lì a poco mi telefonò dal canile per dirmi che non c'era altra scelta che sacrificarlo, e avevano bisogno della mia autorizzazione. Perché? Perché ormai è molto vecchio, disse Damiana. Pensai con rabbia che potevano arrostire vivo anche me in un forno per gatti. Mi sentii inerme tra due fuochi: non avevo imparato ad amare il gatto, ma non avevo neppure il coraggio di ordinare che lo ammazzassero solo perché era vecchio. Dove lo diceva il manuale?

L'incidente mi commosse tanto, che scrissi un articolo per la domenica col titolo preso da Neruda: *Il gatto è una minima tigre da salotto?* L'articolo diede origine a una nuova campagna che divise i lettori pro o contro i gatti. In cinque giorni prevalse la tesi che poteva essere lecito sacrificare un gatto per motivi di salute pubblica, ma non perché fosse vecchio.

Dopo la morte di mia madre rimanevo insonne a causa del terrore che qualcuno mi toccasse mentre dormivo. Una notte la sentii, ma la sua voce mi rese la calma: Figlio mio poveretto.[4] La risentii in un'alba nella camera

---

[4] In italiano nel testo in lingua originale. [*N.d.T.*]

di Delgadina, e rabbrividii di piacere credendo che lei mi avesse toccato. Ma no: era Rosa Cabarcas nel buio. Vestiti e vieni con me, mi disse, ho un problema serio.

Così era, e più serio di quanto avessi potuto immaginare. Uno dei clienti di riguardo della casa era stato assassinato a coltellate nella prima camera del padiglione. L'assassino era fuggito. Il cadavere enorme, nudo, ma con le scarpe infilate, aveva un pallore da pollo al vapore sul letto zuppo di sangue. Lo riconobbi subito: era J.M.B., un banchiere importante, famoso per la sua avvenenza, la sua simpatia e la sua eleganza, e soprattutto per il lindore della sua casa. Aveva sul collo due ferite viola come labbra e uno squarcio nel ventre che non aveva finito di sanguinare. Non aveva ancora cominciato a irrigidirsi. Più che le ferite mi impressionò che avesse un preservativo infilato e a quanto sembrava non usato sul sesso rimpicciolito dalla morte.

Rosa Cabarcas non sapeva con chi era, perché pure lui godeva del privilegio di entrare dal portone dell'orto. Non si scartava il sospetto che fosse insieme a un altro uomo.

L'unica cosa che la vecchia voleva da me era che l'aiutassi a vestire il cadavere. Era così sicura, che mi inquietò l'idea che la morte fosse per lei di normale amministrazione. Non c'è nulla di più difficile che vestire un morto, le dissi. L'ho fatto tante di quelle volte, replicò lei. È facile se qualcuno me lo sorregge. Le feci notare: Chi vuoi che creda a un corpo aperto a colpi di coltello dentro un vestito intatto da gentiluomo inglese?

Tremai per Delgadina. Sarà meglio che la porti via tu, mi disse Rosa Cabarcas. Piuttosto morto, le dissi con la saliva gelida. Lei se ne accorse e non riuscì a nascondere il suo sdegno: Stai tremando! Per lei, dissi, anche se era vero solo a metà. Avvertila che se ne vada prima che arrivi qualcuno. D'accordo, disse lei, anche se a te come giornalista non accadrà nulla. Neppure a te, le dissi con un certo rancore. Sei l'unico liberale a comandare in questo governo.

La città, tanto apprezzata per la sua natura pacifica e la sua sicurezza congenita, si trascinava dietro la disgrazia di un assassinio scandaloso e atroce all'anno. Quello non lo fu. La notizia ufficiale in titoli eccessivi e parca in dettagli diceva che il giovane banchiere era stato aggredito e ucciso a coltellate sulla strada di Pradomar per motivi incomprensibili. Non aveva nemici. Il comunicato del governo indicava come presunti assassini certi rifugiati dell'interno del paese, che stavano scatenando un'ondata di delinquenza comune estranea allo spirito civico della popolazione. Nelle prime ore ci furono oltre cinquanta arresti.

Accorsi scandalizzato insieme al redattore di nera, un giornalista tipico degli anni Venti, con visiera di celluloide verde ed elastici alle maniche, che così credeva di arrivare per primo. Tuttavia, conosceva solo qualche particolare sparso del delitto, e io glieli completai fin dove ritenni prudente farlo. Così scrivemmo cinque cartelle a quattro mani per una notizia di otto colonne in prima pagina attribuita al fantasma eterno delle fonti che ci valgono credito indiscusso. Ma all'*Abominevole Uomo delle Nove* – il censore – non tremò il polso nell'imporre la versione ufficiale secondo cui era stata un'imboscata di banditi liberali. Io mi lavai la coscienza con un cipiglio afflitto ai funerali più cinici e affollati del secolo.

Quando rincasai quella sera telefonai a Rosa Cabarcas per controllare cos'era accaduto a Delgadina, ma non rispose al telefono per quattro giorni. Al quinto andai a casa sua a denti stretti. Le porte erano state sigillate, ma non dalla polizia, bensì dall'Ufficio di Igiene. Nessuno nel vicinato dava notizie di nulla. Senza indizi di Delgadina, mi dedicai a una ricerca accanita e a tratti ridicola che mi lasciò senza fiato. Passai giornate intere osservando le giovani cicliste dalle panchine di un giardino polveroso dove i bambini giocavano ad arrampicarsi sulla statua scrostata di Simón Bolívar. Passavano pedalando come cerbiatte; belle, disponibili, pronte per essere acchiappate a mansalva. Quando ebbi perso ogni speranza mi rifugiai nella pace dei boleri. Fu come un beveraggio avvelenato: ogni parola era lei. Avevo sempre avuto bisogno del silenzio per scrivere perché la mia mente badava più alla musica che alla scrittura. Allora fu il contrario: riuscii a scrivere solo ascoltando boleri.

La mia vita si riempì di lei. Gli articoli che scrissi in quelle due settimane furono modelli in codice per lettere d'amore. Il caporedattore, contrariato dalla valanga di risposte, mi chiese di moderare l'amore finché non avessimo pensato a come consolare così tanti lettori innamorati.

La mancanza di quiete mise fine al rigore dei miei giorni. Mi svegliavo alle cinque, ma rimanevo nella penombra della camera immaginando Delgadina nella sua vita irreale mentre svegliava i fratelli, li vestiva per la scuola, dava loro la colazione, se ce n'era, e attraversava la città in bicicletta per scontare la condanna di cucire bottoni. Mi domandai stupefatto: Cosa pensa una donna mentre attacca un bottone? Pensava a me? Pure lei cercava Rosa Cabarcas per trovare me? Passai anche una settimana senza togliermi la tuta da meccanico né di giorno né di notte, senza farmi un bagno, senza radermi, senza lavarmi i denti, perché l'amore mi aveva insegnato troppo tardi che ci si rassetta per qualcuno, ci si veste e ci si profuma per qualcuno, e io non avevo mai avuto qualcuno per farlo. Damiana credette che fossi ammalato quando mi trovò nudo nell'amaca alle dieci del mattino. La vidi con gli occhi torbidi della cupidigia e la invitai a rivoltolarci insieme nudi. Lei, con un disprezzo, mi disse:

«Ci ha già pensato a quello che farà se le dico di sì?»

Così seppi fino a che punto la sofferenza mi avesse corrotto. Non riconoscevo me stesso nel mio dolore di adolescente. Non uscii più di casa per badare al telefono. Scrivevo senza staccarlo, e al primo squillo ci balzavo sopra pensando che poteva essere Rosa Cabarcas. Interrompevo di continuo quello che stavo facendo per chiamarla, e insistetti giorni interi fino a capire che era un telefono senza cuore.

Rincasando in un pomeriggio di pioggia trovai il gatto acciambellato sulla scalinata del portone. Era sporco e malandato, e con una docilità da far compassione. Il manuale mi segnalò che era ammalato e seguii le sue indicazioni per farlo stare meglio. D'improvviso, mentre schiacciavo un pisolino all'ora della siesta, mi svegliò l'idea che potesse condurmi fino alla casa di Delgadina. Lo portai in una borsa da mercato fino alla bottega di Rosa Cabarcas, che era sempre sigillata e senza tracce di vita, ma si rigirò nel contenitore con tanto impeto che riuscì a scappare, saltò oltre il muro dell'orto e scomparve fra gli alberi. Bussai al portone col pugno, e una voce militare domandò senza aprire: Chi è là? Gente di pace, dissi io per non essere da meno. Sto cercando la padrona. Non c'è nessuna padrona, disse la voce. Mi apra almeno per prendere il gatto, insistetti. Non c'è nessun gatto, disse. Domandai: Chi è lei?

«Nessuno» disse la voce.

Avevo sempre creduto che morire d'amore non fosse altro che una licenza poetica. Quel pomeriggio, di nuovo a casa senza il gatto e senza lei, constatai che non solo era possibile morire, ma anche che io stesso, vecchio e senza nessuno, stavo morendo d'amore. Però mi resi pure conto che era valida la verità contraria: non avrei cambiato con nulla al mondo le delizie della mia sofferenza. Avevo perso oltre quindici anni cercando di tradurre i canti di Leopardi, e solo quel pomeriggio li sentii in profondità: *Oimé, se quest'è amor, com'ei travaglia!*

Il mio arrivo al giornale in tuta e mal rasato suscitò certi dubbi sulle mie condizioni mentali. L'edificio restaurato, con uffici individuali di vetro e luci zenitali, sembrava una clinica della maternità. Il clima artificiale silenzioso e confortevole invitava a parlare a sussurri e camminare in punta di piedi. Nell'atrio, come viceré morti, c'erano i ritratti a olio dei tre direttori a vita e le fotografie di visitatori illustri. L'enorme sala principale era presieduta dalla fotografia gigantesca della redazione attuale scattata nel pomeriggio del mio compleanno. Non riuscii a evitare il confronto mentale con l'altra dei miei trent'anni, e ancora una volta constatai con orrore che si invecchia di più e peggio nei ritratti che nella realtà. La segretaria che mi aveva baciato il pomeriggio del compleanno mi domandò se ero ammalato. Fui felice di risponderle la verità affinché non vi credesse: Ammalato d'amore. Lei disse: Peccato che non lo sia per me!

Io le ricambiai la cortesia: Non ne sia così sicura.

Il redattore di nera uscì dal suo ufficio gridando che c'erano due cadaveri di ragazze non identificate all'obitorio municipale. Gli domandai spaventato: Di che età? Giovani, disse lui. Possono essere rifugiate dell'interno inseguite fin qui da sicari del regime. Respirai sollevato. La situazione ci invade in silenzio come una macchia di sangue, dissi. Il redattore di nera, ormai lontano, gridò:

«Di sangue no, maestro, di merda.»

Qualcosa di peggio mi accadde due giorni dopo, allorché una ragazza istantanea con una cesta uguale a quella del gatto passò come un lampo davanti alla libreria Mundo. La inseguii sgomitando in mezzo alla folla nel fragore del mezzogiorno. Era molto bella, con una lunga falcata e una fluidità tale nel farsi strada fra la ressa che mi costò fatica raggiungerla. Infine la sorpassai e la guardai in faccia. Lei mi scostò con la mano senza fermarsi né chiedere scusa. Non era quella che credevo, ma la sua alterigia mi fece male come se lo fosse stata. Capii allora che non sarei stato capace di riconoscere Delgadina sveglia e vestita, né lei poteva sapere chi ero io se non mi aveva mai visto. In un accesso di pazzia sferruzzai in tre giorni dodici paia di scarpette celesti e rosa per neonati, cercando di farmi coraggio per non ascoltare, né cantare, né ricordare le canzoni che mi ricordavano lei.

Il fatto era che avevo l'anima a pezzi, e cominciavo a essere consapevole della vecchiaia dai miei cedimenti davanti all'amore. Una prova ancora più drammatica la ebbi quando un autobus del servizio pubblico travolse una ciclista nel pieno centro della città. L'avevano appena portata via su un'ambulanza e le proporzioni della tragedia erano valutabili dal rottame a cui era stata ridotta la bicicletta sopra una pozza di sangue vivo. Ma la mia impressione non fu tanto per i danni della bicicletta quanto per la marca, il modello e il colore. Poteva solo essere quella che io stesso avevo regalato a Delgadina.

I testimoni concordarono che la ciclista ferita era molto giovane, alta e magra, e con i capelli corti e ricci. Stordito, presi il primo taxi che passò, e mi feci portare all'ospedale, un vecchio edificio dai muri ocra che sembrava un carcere insabbiato in un arenile. Mi ci volle mezz'ora per entrare, e un'altra ancora per uscire da un patio fragrante di alberi da frutta dove una donna tribolata mi sbarrò la strada, mi guardò negli occhi ed esclamò:

«Io sono quella che non cerchi.»

Solo allora ricordai che lì vivevano in libertà gli internati tranquilli del manicomio municipale. Dovetti identificarmi come giornalista dinanzi alla direzione dell'ospedale perché un infermiere mi portasse al pronto soccorso. Nel registro delle entrate c'erano i dati: Rosalba Ríos, sedici anni, disoccupata. Diagnosi: commozione cerebrale. Prognosi: riservata. Domandai al capo del reparto se potevo vederla, con l'intima speranza che mi dicessero di no, ma mi guidarono tutti contenti nel caso che volessi scrivere sullo stato di abbandono dell'ospedale.

Attraversammo una sala variopinta con un forte odore di acido fenico e i pazienti raggomitolati sui letti. In fondo, in una camera solitaria, distesa su un lettino metallico, c'era quella che cercavamo. Aveva il cranio ricoperto di bende, la faccia indecifrabile, gonfia e violacea, ma mi bastò vederle i piedi per sapere che non era lei. Solo allora mi venne da domandarmi: Cos'avrei fatto se fosse stata lei?

Ancora invischiato nelle ragnatele della notte ebbi il coraggio di andare il giorno dopo alla fabbrica di camicie dove Rosa Cabarcas aveva una volta detto che lavorava la ragazza, e chiesi al proprietario che mostrasse le sue installazioni come modello per un progetto continentale delle Nazioni Unite. Era un libanese pachidermico e taciturno, che aprì le porte del suo regno con l'illusione di essere un esempio universale.

Trecento giovani in camice bianco con le ceneri del mercoledì sulla fronte cucivano bottoni nella vasta navata piena di luce. Quando ci videro entrare si raddrizzarono come collegiali e ci osservarono con la coda dell'occhio mentre il proprietario spiegava i suoi apporti all'arte immemore di attaccare bottoni. Io scrutavo le facce di ognuna, col timore di scoprire Delgadina vestita e sveglia. Ma fu una di loro a scoprire me con lo sguardo temibile dell'ammirazione senza pietà:

«Senta, signore, non è lei quello che scrive le lettere d'amore sul giornale?»

Non mi sarei mai immaginato che una ragazza addormentata potesse causare in un uomo simili scempi. Scappai dalla fabbrica senza congedarmi né pensare se qualcuna di quelle vergini da purgatorio fosse finalmente quella che cercavo. Mentre mi allontanavo di lì, l'unico sentimento che mi rimaneva nella vita era la voglia di piangere.

Rosa Cabarcas chiamò in capo a un mese con una spiegazione incredibile: si era presa un meritato riposo a Cartagena de Indias, dopo l'assassinio del banchiere. Non le credetti, naturalmente, ma mi congratulai per la sua fortuna e la lasciai dilungarsi nella sua menzogna prima di farle la domanda che mi borbogliava nel cuore:

«E lei?»

Rosa Cabarcas fece un silenzio lungo. È sempre lì, disse infine, ma la sua voce divenne evasiva: Bisogna aspettare un po'. Quanto? Non ne ho idea, ti avviserò. Sentii che stavo perdendola e la fermai di brutto: Aspetta, dammi qualche lume. Non ci sono lumi, disse lei, e concluse: Stai attento, puoi danneggiare te stesso, e soprattutto danneggiare lei. Io non ci stavo a questo tipo di giochetti. Supplicai di avere anche solo un'occasione per avvicinarmi alla verità. In fondo, le dissi, siamo complici. Lei non fece passi ulteriori. Calmati, mi disse, la ragazza sta bene e aspetta che la chiami, ma subito non c'è niente da fare né dirò una parola di più. Arrivederci.

Rimasi col telefono in mano senza sapere come andare avanti, perché la conoscevo abbastanza per pensare che non avrei ottenuto nulla da lei se non con le buone. Dopo il mezzogiorno feci un giro furtivo a casa sua, fiducioso più nel caso che nella ragione, e la trovai ancora chiusa e con i sigilli dell'Ufficio di Igiene. Pensai che Rosa Cabarcas mi avesse telefonato da un altro posto, forse da un'altra città, e la sola idea mi riempì di presagi tristi. Tuttavia, alle sei del pomeriggio, quando meno me l'aspettavo, mi disse per telefono la mia parola d'ordine:

«Va bene, adesso sì.»

Alle dieci di sera, tremebondo e mordendomi le labbra per non piangere, partii carico di scatole di cioccolatini svizzeri, torroni e caramelle, e un cesto di rose ardenti per coprire il letto. La porta era socchiusa, le luci accese e alla radio si diluiva a basso volume la *Sonata numero uno per violino e pianoforte* di Brahms. Delgadina nel letto era così radiosa e diversa che mi costò fatica riconoscerla.

Era cresciuta, ma non lo si notava dalla statura bensì da una maturità intensa che la faceva sembrare più vecchia di due o tre anni, e più nuda che mai. I suoi zigomi alti, la pelle tostata da soli di mare selvaggio, le labbra sottili e i capelli corti e ricci infondevano al suo viso lo splendore androgino dell'*Apollo* di Prassitele. Ma non c'era equivoco possibile, perché i suoi seni erano cresciuti al punto che non mi stavano più nella mano, i suoi fianchi avevano finito di formarsi e le sue ossa erano diventate più salde e armoniche. Mi affascinarono quei prodigi della natura, ma mi stordirono gli artifici: le ciglia posticce, le unghie delle mani e dei piedi smaltate di madreperla, e un profumo da quattro soldi che non aveva nulla a che vedere con l'amore. Tuttavia, a farmi uscire dai gangheri fu la fortuna che portava addosso: orecchini d'oro con grappoli di smeraldi, una collana di perle naturali, un braccialetto d'oro con bagliori di diamanti, e anelli con pietre autentiche a tutte le dita. Sulla seggiola c'era il suo vestito da sgualdrina con lustrini e ricami, e le scarpette di raso. Un vapore strano mi salì dalle viscere.

«Puttana!» gridai.

Perché il diavolo mi soffiò all'orecchio un pensiero sinistro. E fu questo: la notte del delitto Rosa Cabarcas non doveva avere avuto il tempo né la serenità per avvertire la ragazza, e la polizia l'aveva trovata nella camera, sola, minorenne e senza alibi. Nessuno meglio di Rosa Cabarcas per sbrogliarsela in una situazione del genere: aveva venduto la verginità della ragazza a qualcuno dei suoi pezzi grossi purché la facessero uscire pulita dal delitto. La prima cosa, ovvio, era stata scomparire finché non si fosse calmato lo scandalo. Che meraviglia! Una luna di miele a tre, loro due nel letto, e Rosa Cabarcas su una terrazza di lusso a godersi la sua impunità felice. Cieco di un'ira insensata, scagliai contro le pareti ogni cosa della camera: le lampade, la radio, il ventilatore, gli specchi, le caraffe, i bicchieri. Lo feci senza fretta, ma senza pause, con un grande baccano e un'ebbrezza metodica che mi salvò la vita. La ragazza fece un balzo alla prima esplosione, ma non mi guardò perché si arrotolò su se stessa, e così rimase con spasimi intermittenti fin quando non fu cessato il baccano. Le galline nel patio e i cani dell'alba accrebbero lo strepito. Con l'accecante lucidità della collera ebbi l'ispirazione conclusiva di appiccare il fuoco alla casa, quando apparve sulla soglia la figura impassibile di Rosa Cabarcas in camicia da notte. Non disse nulla. Fece con lo sguardo l'inventario del disastro, e constatò che la ragazza era arrotolata su se stessa come una chiocciola e con la testa nascosta fra le braccia: atterrita ma intatta.

«Dio mio!» esclamò Rosa Cabarcas. «Cosa non avrei dato io per un amore come questo!»

Mi squadrò da capo a piedi con uno sguardo di misericordia, e mi ordinò: Andiamo. La seguii fino alla casa, mi servì un bicchiere d'acqua in silenzio, mi fece un segno affinché mi sedessi davanti a lei, e si preparò a confessarmi. Bene, disse, adesso comportati da adulto, e raccontami: cosa ti succede?

Le raccontai quella che ritenevo la mia verità rivelata. Rosa Cabarcas mi ascoltò in silenzio, senza stupore, e alla fine sembrò illuminata. Che meraviglia!, disse. Ho sempre sostenuto che la gelosia ne sa più della verità. E allora mi raccontò la realtà senza riserve. In effetti, disse, nel suo smarrimento della notte del delitto, si era dimenticata della ragazza addormentata nella camera. Uno dei suoi clienti, avvocato del morto, inoltre, aveva distribuito prebende e bustarelle a quattro mani, e aveva invitato Rosa Cabarcas in un albergo di Cartagena de Indias dove riposarsi, finché lo scandalo non si fosse spento. Credi pure, disse Rosa Cabarcas, che in tutto questo tempo non ho smesso di pensare neppure per un momento a te e alla ragazza. Sono tornata l'altro ieri e la prima cosa che ho fatto è stata telefonarti, ma nessuno ha risposto. Invece la ragazza è venuta subito, e in così brutte condizioni che te l'ho lavata, te l'ho vestita e te l'ho mandata al salone di bellezza con l'ordine che la preparassero come una regina. Hai visto com'è: perfetta. Gli abiti di lusso? Sono quelli che noleggio alle mie ragazze più povere quando devono andare a ballare con i loro clienti. I gioielli? Sono i miei, disse: Basta toccarli per accorgersi che sono diamanti di vetro e cianfrusaglie di latta. Sicché non rompere, concluse: Va', svegliala, chiedile scusa, e fatti carico di lei una buona volta. Nessuno più di voi merita di essere felice.

Feci uno sforzo sovrannaturale per crederle, ma fu più forte l'amore della ragione. Puttane!, le dissi, tormentato dal fuoco vivo che mi ardeva le viscere. Ecco cosa siete!, gridai: Puttane di merda! Non voglio più saperne di te, né di nessun'altra baldracca al mondo, e tanto meno di lei. Le feci dalla soglia un segno di addio per sempre. Rosa Cabarcas non ebbe dubbi.

«Va' con Dio» mi disse con una smorfia di tristezza, e tornò alla sua vita reale. «Comunque ti farò avere il conto della piazzata che hai fatto nella camera.»

5

Leggendo *Idi di marzo* trovai una frase sinistra che l'autore attribuisce a Giulio Cesare: *È impossibile non finire per essere come gli altri credono che uno sia.* Non mi fu possibile controllare la sua vera origine nell'opera dello stesso Giulio Cesare e neppure nelle opere dei suoi biografi, da Svetonio fino a Carcopino, ma valse la pena di conoscerla. Fu il suo fatalismo applicato al corso della mia vita nei mesi successivi a fornirmi la determinazione di cui avevo bisogno non solo per scrivere queste memorie, ma anche per cominciarle senza pudori con l'amore di Delgadina.

Non avevo un istante di requie, a stento assaggiavo un boccone e persi così tanti chili che i pantaloni non mi si reggevano intorno alla vita. I dolori erratici mi rimasero nelle ossa, cambiavo umore senza motivo, trascorrevo le notti in uno stato di smarrimento che non mi permetteva di leggere né di ascoltare musica, e invece passavo le giornate con la testa che mi ciondolava a causa di una sonnolenza stupida che non serviva per dormire.

Il sollievo mi cascò dal cielo. Nell'affollato autobus di Loma Fresca una vicina di sedile che non avevo visto salire mi sussurrò all'orecchio: Ti viene ancora duro? Era Casilda Armenta, un vecchio amore in saldo che mi aveva sopportato come cliente assiduo da quando era un'adolescente altera. Una volta ritirata, mezzo inferma e senza un soldo, si era sposata con un ortolano cinese che le aveva dato nome e appoggio, e forse un po' d'amore. A settantatré anni aveva lo stesso peso, era sempre bella e di carattere forte, e conservava intatta la disinvoltura del mestiere.

Mi portò a casa sua, un orto appartenente a cinesi su una collina della strada per il mare. Ci sedemmo sulle sedie da spiaggia della terrazza ombrosa, tra felci e tralci di astromelie, e gabbie di uccelli appese alle gronde. Sul versante della collina si vedevano gli ortolani cinesi con cappelli a cono che seminavano gli ortaggi sotto un sole ardente, e il pelago grigio delle Bocas de Ceniza con i due frangiflutti di rocce che incanalano il fiume per diverse leghe nel mare. Mentre chiacchieravamo vedemmo entrare un transatlantico bianco nell'imboccatura e lo seguimmo in silenzio fino a sentire il suo bramito di toro lugubre nel porto fluviale. Lei sospirò. Ti rendi conto? In oltre mezzo secolo è la prima volta che non accolgo la tua visita nel letto. Ormai siamo altri, dissi. Lei proseguì senza ascoltarmi: Ogni volta che dicono cose di te alla radio, che ti lodano per l'affetto che la gente nutre nei tuoi confronti e ti chiamano maestro dell'amore, figurati, penso che nessuno abbia conosciuto le tue trovate e le tue furbizie bene come me. Davvero, disse, nessuno avrebbe potuto sopportarti meglio.

Non resistetti oltre. Lei se ne accorse, vide i miei occhi umidi di lacrime, e solo allora dovette scoprire che non ero più quello che ero stato e sostenni il suo sguardo con un coraggio di cui non mi ero mai creduto capace. È che sto diventando vecchio, le dissi. Lo siamo già, sospirò lei. Il fatto è che non lo si sente dentro, ma da fuori tutti lo vedono.

Era impossibile non aprirle il cuore, sicché le raccontai la storia completa che mi ardeva nelle viscere, dalla mia prima telefonata a Rosa Cabarcas la vigilia dei miei novant'anni, fino alla notte tragica in cui feci a pezzi la camera e non vi tornai più. Lei ascoltò il mio sfogo come se stesse vivendolo, lo ruminò piano piano, e infine sorrise.

«Fa' quello che vuoi, ma non perdere quella creatura» mi disse. «Non c'è peggiore disgrazia che morire soli.»

Andammo a Puerto Colombia col trenino che sembrava un giocattolo, lento come un cavallo. Pranzammo davanti al molo con i legni corrosi da cui era entrato il mondo intero nel paese prima che dragassero le Bocas de Ceniza. Ci sedemmo sotto una tettoia di palma, dove le grandi matrone negre servivano pagri fritti con riso al cocco e fette di banana verde. Dormicchiammo nel sopore denso delle due, e continuammo a chiacchierare finché l'immenso sole di fuoco si immerse nel mare. La realtà mi sembrava fantastica. Guarda dov'è finita la nostra luna di miele, scherzò lei. Ma proseguì sul serio: Oggi mi guardo alle spalle, vedo la fila di migliaia di uomini che sono passati nei miei letti, e darei l'anima per essere rimasta sia pure col peggiore. Grazie a Dio, ho incontrato per tempo il mio cinese. È come essere sposata col dito mignolo, ma è solo mio.

Mi guardò negli occhi, valutò la mia reazione dinanzi a quanto mi aveva appena raccontato e mi disse: Va' subito a cercare quella povera creatura anche se fosse vero quello che ti dice la gelosia, tanto i tuoi giri di valzer te li sei già fatti. Ma questo sì, senza romanticismi da nonno. Svegliala, scopatela anche nelle orecchie con quell'uccellone che il diavolo ti ha dato in premio per la tua codardia e la tua meschinità. Seria, finì con l'anima: Non morire senza aver provato la meraviglia di scopare con amore.

Il polso mi tremava il giorno dopo quando feci il numero di telefono. Sia per la tensione di ritrovare Delgadina, sia per l'incertezza del modo in cui Rosa Cabarcas mi avrebbe risposto. C'era stato un diverbio serio a causa della somma esagerata che avevo dovuto pagare per i danni fatti nella sua camera. Ero stato costretto a vendere uno dei quadri più amati da mia madre, il cui valore ammontava a una fortuna, ma che nel momento della verità non raggiunse un decimo delle mie illusioni. Avevo rimpinguato la cifra col resto dei miei risparmi e l'avevo portata a Rosa Cabarcas con una consegna inappellabile: Prendere o lasciare. Era stato un gesto suicida, perché le sarebbe bastato vendere uno dei miei segreti per annientare il mio buon nome. Ma non si era impuntata, anzi, si era tenuta i quadri che aveva preso in pegno la notte della lite. Ne ero uscito perdente assoluto in una sola giocata: ero rimasto senza Delgadina, senza Rosa Cabarcas e senza i miei ultimi risparmi. Tuttavia, sentii lo squillo del telefono una volta, due volte, tre, e infine lei: Pronto? Non mi uscì la voce. Riattaccai. Mi buttai sull'amaca, cercando di rasserenarmi con la lirica ascetica di Satie, e sudai tanto che la tela ne rimase fradicia. Fino al giorno dopo non ebbi più il coraggio di chiamare.

«Allora, mia cara» dissi con voce risoluta. «Oggi sì.»

Rosa Cabarcas, guarda un po', era al di là di tutto. Ah, mio triste professore, sospirò col suo animo invincibile, ti perdi due mesi e torni solo per chiedere illusioni. Mi raccontò che non aveva visto Delgadina da oltre un mese, che sembrava essersi così ripresa dallo spavento della mia scenata che non ne aveva più parlato né aveva domandato di me, ed era contentissima di un nuovo lavoro, più comodo e meglio pagato che cucire bottoni. Un'ondata di fuoco vivo mi bruciò le viscere. Può essere solo quello della puttana, dissi. Rosa mi replicò senza battere ciglio: Non fare il cretino, se così fosse sarebbe qui. Dove potrebbe trovarsi meglio? La rapidità della sua logica aggravò il mio dubbio: E come posso sapere che non è lì? In tal caso, replicò lei, è tua convenienza non saperlo. O no? Ancora una volta la odiai. Lei, a prova di qualsiasi cedimento, promise di rintracciare la ragazza. Senza molte speranze, perché il telefono della vicina dove la chiamava aveva sempre i fili tagliati e lei non aveva la minima idea di dove abitasse. Ma non è il caso di lasciarsi morire, cazzo, disse, ti chiamo entro un'ora.

Fu un'ora di tre giorni, ma trovò la ragazza disponibile e sana. Tornai vergognoso, e la baciai palmo a palmo, per penitenza, dalla mezzanotte fin quando cantarono i galli. Un perdono lungo che mi ripromisi di ripetere per sempre e fu come ricominciare dal principio. La camera era stata smantellata, e il cattivo uso aveva messo fine a tutto quello che io vi avevo portato. Rosa Cabarcas l'aveva lasciata così, e mi disse che qualsiasi miglioria dovevo farla io in cambio di quanto le dovevo. Tuttavia, la mia situazione economica toccava il fondo. Il denaro delle pensioni bastava sempre meno. Le poche cose vendibili che rimanevano in casa – tranne i gioielli sacri di mia madre – non avevano valore commerciale e nulla era abbastanza vecchio da essere antico. In tempi migliori, il governatore mi aveva fatto l'offerta allettante di comprarmi in blocco i libri dei classici greci, latini e spagnoli per la Biblioteca Dipartimentale, ma non avevo avuto il coraggio di venderli. In seguito, con i mutamenti politici e il deteriorarsi del mondo, nessuno del governo pensava alle arti né alle lettere. Stanco di cercare una soluzione decente, mi infilai in tasca i gioielli che Delgadina mi aveva restituito, e andai a impegnarli in un vicolo sinistro che portava al mercato pubblico. Con aria da professore distratto percorsi più volte quel postaccio pieno di bettole della mala morte, librerie dell'usato e banchi dei pegni, ma la dignità di Florina de Dios mi bloccò: non ce la feci. Allora decisi di venderli a fronte alta nella gioielleria più antica e accreditata.

Il commesso mi fece qualche domanda mentre esaminava i gioielli col suo monocolo. Aveva il comportamento, lo stile e il rossore di un medico. Gli spiegai che erano gioielli ereditati da mia madre. Lui annuiva con un grugnito a ogni mia spiegazione, e infine si tolse il monocolo.

«Mi dispiace» disse, «ma sono fondi di bottiglia.»

Dinanzi alla mia sorpresa, mi spiegò con

una soave commiserazione: Meno male che l'oro è oro e il platino è platino. Mi toccai la tasca per assicurarmi che avevo le fatture degli acquisti, e dissi senza rancori:

«Però sono stati comprati in questa nobile casa oltre cent'anni fa.»

Lui non batté ciglio. Accade spesso, disse, che nei gioielli ereditari scompaiano le pietre più preziose col passare del tempo; sostituite da scapestrati della famiglia, o da gioiellieri mascalzoni, e solo quando qualcuno cerca di venderli si scopre la frode. Ma mi permetta un secondo, disse, e scomparve con i gioielli dalla porta in fondo. Dopo un momento tornò, e senza spiegazioni mi fece segno di sedermi sulla seggiola di attesa, e continuò a lavorare.

Esaminai il negozio. Vi ero venuto con mia madre più volte, e ricordavo una frase ricorrente: *Non dirlo a tuo papà.* D'improvviso mi venne un'idea che mi fece contrarre: non poteva essere che Rosa Cabarcas e Delgadina, di comune accordo, avessero venduto le pietre autentiche e mi avessero restituito i gioielli con le pietre false?

Stavo ardendo in preda ai dubbi quando una segretaria mi invitò a seguirla per la stessa porta in fondo, sino a un ufficio piccolo, con una lunga scaffalatura carica di grossi volumi. Un beduino colossale si alzò dietro la scrivania in fondo e mi strinse la mano dandomi del tu con un'effusione da vecchio amico. Abbiamo fatto insieme il liceo, mi disse, a mo' di saluto. Mi fu facile ricordarlo: era il miglior calciatore della scuola e il campione dei nostri primi bordelli. Avevo smesso di frequentarlo in qualche periodo incerto, e dovette vedermi così decrepito da confondermi con un compagno di classe della sua infanzia.

Sul cristallo della scrivania c'era aperto uno degli scartafacci dell'archivio in cui si conservava memoria dei gioielli di mia madre. Un resoconto esatto, con date e particolari secondo cui lei in persona aveva fatto cambiare le pietre di due generazioni di belle e onorate Cargamantos, e aveva venduto quelle autentiche allo stesso negozio. Tutto questo era accaduto quando il padre del proprietario attuale era a capo della gioielleria, e lui e io a scuola. Ma lui stesso mi tranquillizzò: quei sotterfugi erano di uso corrente nelle grandi famiglie in disgrazia, per risolvere urgenze di denaro senza sacrificare l'onore. Davanti alla realtà nuda e cruda, preferii conservarle come ricordo di un'altra Florina de Dios che non avevo mai conosciuto.

All'inizio di luglio sentii la distanza reale della morte. Il mio cuore perse il ritmo e cominciai a vedere e sentire ovunque i presagi inequivocabili della fine. Il più nitido fu durante il concerto delle Belle Arti. L'aria condizionata era venuta meno e il fior fiore delle arti e delle lettere si cucinava a bagnomaria nel salone zeppo, ma la magia della musica era un clima celestiale. Alla fine, con l'*Allegretto poco mosso*, mi fece rabbrividire la rivelazione raggelante che stavo ascoltando l'ultimo concerto che il destino mi riserbava prima di morire. Non sentii dolore né paura bensì l'emozione devastante di averlo vissuto.

Quando infine riuscii a farmi strada fradicio di sudore attraverso gli abbracci e le foto, mi ritrovai faccia a faccia con Ximena Ortiz,

come una dea di cent'anni sulla sedia a ruote. La sua sola presenza mi si imponeva come un peccato mortale. Portava una tunica
di seta color avorio, tersa come la sua pelle,
un filo di perle autentiche a tre giri, i capelli
color madreperla tagliati alla moda degli anni Venti con una punta d'ala di gabbiano
sulla guancia, e i grandi occhi gialli illuminati dall'ombra naturale delle occhiaie. Lei
tutta contraddiceva la voce secondo cui la
sua mente stava rimanendo in bianco per
l'erosione irredimibile della memoria. Pietri-
ficato e senza espedienti davanti a lei, reagii
alla vampata di fuoco che mi salì in viso, e la
salutai in silenzio con un inchino alla Ver-
sailles. Lei sorrise come una regina, e mi
ghermì la mano. Allora mi resi conto che pure quella era una circostanza fornita dal destino, e non me la lasciai scappare, per togliermi una spina che mi disturbava da
sempre. Ho sognato per anni questo momento, le dissi. Lei sembrò non comprende-
re. Non dirmi!, disse. E tu chi sei? Non seppi
mai se l'avesse davvero dimenticato o se fosse la vendetta conclusiva della sua vita.

La certezza di essere mortale, invece, mi aveva colto poco prima dei cinquant'anni in un'occasione come quella, una notte di carnevale in cui ballavo un tango apache con una donna fenomenale che non vidi mai in viso, più massiccia di me di cinquanta libbre e più alta di due palmi, che tuttavia si lasciava portare come una piuma al vento. Ballavamo così stretti che sentivo circolare il suo sangue nelle vene, e mi trovavo come addormentato di piacere dal suo respiro faticoso, dal suo lezzo di ammoniaca, dalle sue tette da astronoma, allorché mi scosse per la prima volta e quasi mi fece stramazzare il brivido della morte. Fu come un oracolo brutale all'orecchio: Qualunque cosa tu faccia, in quest'anno o fra cento, sarai morto per sempre. Lei si staccò spaventata: Cosa le succede? Niente, le dissi, cercando di premermi il cuore:

«Tremo per lei.»

A partire da allora cominciai a misurare la vita non per anni ma per decenni. Quello dei cinquanta era stato decisivo perché avevo preso coscienza che quasi tutti erano più giovani di me. Quello dei sessanta era stato il più intenso per il sospetto che non avessi più tempo per sbagliarmi. Quello dei settanta era stato temibile per una certa eventualità che fosse l'ultimo. Malgrado tutto, quando mi svegliai vivo la prima mattina dei miei novant'anni nel letto felice di Delgadina, mi attraversò l'idea affascinante che la vita non fosse qualcosa che scorre come il fiume impetuoso di Eraclito, ma un'occasione unica di girarsi sulla graticola e continuare ad arrostirsi dall'altra parte ancora per novant'anni.

Divenni di lacrima facile. Qualsiasi sentimento avesse a che vedere con la tenerezza mi causava un nodo in gola che non sempre riuscivo a controllare, e pensai di evitarmi il piacere solitario di vegliare il sonno di Delgadina, non tanto per l'incertezza della mia morte quanto per il dolore di immaginarla senza di me nel resto della mia vita. Uno di quei giorni incerti mi ritrovai per distrazione nella nobilissima Calle de los Notarios, e mi stupirono le macerie del vecchio albergo a ore dove mi avevano iniziato per forza alle arti dell'amore poco prima dei miei dodici anni. Era stato una dimora di antichi armatori, splendida come poche in città, con colonne rivestite di alabastro e fregi in similoro, intorno a un patio interno con una cupola di vetri a sette colori che irradiava un chiarore da serra. Al piano terreno, con un portone gotico sulla via, c'erano stati per oltre un secolo gli uffici notarili in cui aveva lavorato e prosperato e si era rovinato mio padre in tutta una vita di sogni fantastici. Le famiglie storiche avevano abbandonato a poco a poco i piani superiori, che erano rimasti occupati da una legione di sgualdrine in disgrazia che salivano e scendevano fino all'alba con i clienti acchiappati per un peso e mezzo nelle bettole del vicino porto fluviale.

A dodici anni, ancora con i pantaloni corti e gli stivaletti da alunno delle elementari, non riuscii a resistere alla tentazione di conoscere i piani superiori mentre mio padre si dibatteva in una delle sue riunioni interminabili, e mi ritrovai davanti a uno spettacolo celestiale. Le donne che malvendevano i loro corpi fino all'alba cominciavano a muoversi per la casa alle undici del mattino, quando la canicola della vetrata era già insopportabile, e dovevano sbrigare la loro vita domestica camminando nude per tutta la casa mentre commentavano gridando le loro avventure della notte. Ne rimasi terrorizzato. L'unica cosa che mi venne da fare fu fuggire da dov'ero venuto, quando una delle donne nude con le carni massicce odorose di sapone fatto in casa mi abbracciò da dietro e mi portò di peso fino al suo cubicolo di cartone senza che io potessi vederla in mezzo allo schiamazzo e agli applausi delle inquiline nude. Mi buttò supino sul suo letto per quattro, mi tolse i pantaloni con una mossa magistrale e mi montò sopra a cavalcioni, ma il terrore gelido che mi inzuppava il corpo mi impedì di riceverla da uomo. Quella notte, insonne nel letto di casa mia per la vergogna dell'assalto, non riuscii a dormire per più di un'ora tanto ero ansioso di rivederla. Ma il mattino dopo, mentre i nottambuli dormivano, salii tremando fino al suo cubicolo, e la svegliai piangendo forte, con un amore impazzito che durò finché non se lo portò via senza misericordia il vento furibondo della vita reale. Si chiamava Castorina ed era la regina della casa.

I cubicoli dell'albergo costavano un peso per gli amori di passaggio, ma eravamo in pochissimi a sapere che costavano lo stesso fino a ventiquattro ore. Castorina mi introdusse pure nel suo mondo di mala morte, dove invitavano i clienti poveri alle loro colazioni di gala, prestavano il sapone, curavano i mal di denti, e in casi di grande urgenza offrivano un amore di carità.

Ma nei pomeriggi della mia ultima vecchiaia più nessuno si ricordava dell'immortale Castorina, morta chissà quando, che era ascesa dai crocicchi miserabili del porto fluviale fino al trono sacro di gran ruffiana, con una toppa da pirata sull'occhio perduto in una rissa da bettola. Il suo ultimo magnaccia in pianta stabile, un negro felice di Camagüey che chiamavano Jonás il Galeotto, era stato un grande trombettista all'Avana fin quando non aveva perso il sorriso completo in una catastrofe ferroviaria.

Uscendo da quella visita amara sentii una fitta nel cuore che non ero riuscito a sgravare in tre giorni con ogni sorta di pozioni casalinghe. Il medico dal quale mi recai d'urgenza, discendente da una stirpe illustre, era nipote di quello che mi aveva già visto quando avevo quarantadue anni, e mi stupì che sembrasse lo stesso, perché era invecchiato come suo nonno a settanta, a causa di una calvizie prematura, certi occhiali da miope senza scampo e una tristezza inconsolabile. Mi fece una visita minuziosa da capo a piedi con una concentrazione da orefice. Mi auscultò il petto e la schiena, e mi misurò la pressione arteriosa, i riflessi del ginocchio, il fondo dell'occhio, il colore della palpebra inferiore. Nelle pause, mentre io cambiavo posizione sul lettino delle visite, mi faceva domande così vaghe e rapide che avevo appena il tempo di pensare alle risposte. In capo a un'ora mi guardò con un sorriso felice. Bene, disse, credo di non aver niente da fare per lei. Cosa vuole dire? Che le sue condizioni sono le migliori possibili alla sua età. Che strano, gli dissi, mi aveva detto la stessa cosa suo nonno quando avevo quarantadue anni, come se il tempo non passasse. Troverà sempre qualcuno che glielo dica, disse, perché avrà sempre un'età. Io, provocandolo a pronunciare una frase raggelante, gli dissi: L'unica definitiva è la morte. Sì, disse lui, ma non è facile arrivarvi in buone condizioni come le sue. Mi dispiace davvero di non poterla accontentare.

Erano ricordi nobili, ma la vigilia del 29 agosto sentii il peso immenso del secolo che mi aspettava impassibile quando salii a passi di piombo le scale di casa mia. Allora rividi ancora una volta Florina de Dios, mia madre, nel mio letto che le era appartenuto fino alla morte, e mi diede la stessa benedizione dell'ultima volta in cui l'avevo vista, due ore prima di morire. Sconvolto dall'emozione vi scorsi l'annuncio finale, e telefonai a Rosa Cabarcas affinché mi portasse la mia ragazza quella stessa notte, qualora non si fosse avverata la mia illusione di sopravvivere fino all'ultimo respiro dei miei novant'anni. Le telefonai di nuovo alle otto, e ancora mi ripeté che non era possibile. Doveva esserlo, a qualsiasi prezzo, le gridai terrorizzato. Riattaccò senza salutare, ma quindici minuti dopo ritelefonò:

«Va bene, è qui.»

Arrivai alle dieci e venti di sera, e diedi a Rosa Cabarcas le ultime lettere della mia vita, con le disposizioni sulla ragazza dopo la mia fine terribile. Lei pensò che fossi rimasto impressionato da quell'uomo accoltellato e mi disse con aria di prendermi in giro: Se devi morire, che non sia qui, figurarsi. Ma io le dissi: Di' che mi ha investito il treno di Puerto Colombia, quel povero rottame di miseria incapace di ammazzare nessuno.

Quella notte, preparato a tutto, mi coricai supino in attesa del dolore finale al primo istante dei miei novantun anni. Udii campane remote, sentii la fragranza dell'anima di Delgadina addormentata su un fianco, sentii un grido all'orizzonte, singhiozzi di qualcuno che forse era morto un secolo prima nell'alcova. Allora spensi la luce con l'ultimo fiato, allacciai le mie dita alle sue per portarla con me per mano, e contai i dodici rintocchi della mezzanotte con le mie dodici lacrime finali, finché non cominciarono a cantare i galli, e subito dopo i rintocchi di gloria, i mortaretti di festa che celebravano la gioia di essere sopravvissuto sano e salvo ai miei novant'anni.

Le mie prime parole furono per Rosa Cabarcas: Ti compro la casa, tutta, con la bottega e l'orto. Lei mi disse: Facciamo una scommessa da vecchi: chi muore per primo si tiene tutto quello che ha l'altro, firmato davanti a un notaio. No, perché se io muoio, tutto dovrebbe andare a lei. È lo stesso, disse Rosa Cabarcas, io mi prendo carico della ragazza e poi le lascio tutto, il tuo e il mio; non ho altri in questo mondo. Nel frattempo, rimettiamo a posto la tua camera con buoni servizi, aria condizionata, e i tuoi libri e la tua musica.

«Credi che lei sarà d'accordo?»

«Ah, mio triste professore, va bene che sei vecchio, ma non fare lo stronzo» disse Rosa Cabarcas morta dal ridere. «Quella povera creatura è istupidita d'amore per te.»

Uscii in strada raggiante e per la prima volta riconobbi me stesso all'orizzonte remoto del mio primo secolo. La mia casa, silenziosa e in ordine alle sei e un quarto, cominciava a godersi i colori di un'aurora felice. Damiana cantava a pieni polmoni in cucina, e il gatto redivivo arrotolò la coda intorno alle mie caviglie e continuò a camminare con me fino al tavolo per scrivere. Stavo ordinando le mie carte avvizzite, il calamaio, la penna d'oca, quando il sole esplose fra i mandorli del parco e il battello fluviale della posta, in ritardo di una settimana per la siccità, entrò bramendo nel canale del porto. Era finalmente la vita reale, col mio cuore in salvo, e condannato a morire di buon amore nell'agonia felice di un giorno qualsiasi dopo i miei cent'anni.

Maggio 2004

«Memoria delle mie puttane tristi»
di Gabriel García Márquez
Collezione Scrittori italiani e stranieri

Arnoldo Mondadori Editore S.p.A.

Questo volume è stato impresso
nel mese di gennaio dell'anno 2005
presso Mondadori Printing S.p.A.
Stabilimento Nuova Stampa Mondadori - Cles (TN)

Stampato in Italia - Printed in Italy